木暮荘物語

三浦しをん

祥伝社文庫

目次

木暮荘物語

シンプリーヘブン

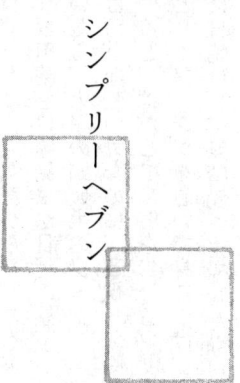

「せっかくいい天気なんだし、どっか行こうか」

「そうだね。でもいい天気だから、どこも混んでいそうだ」

などと、坂田《さかた》繭《まゆ》と伊藤《いとう》晃生《あきお》が日曜の昼下がりにアパートの一室でごろごろしながらしゃべっていたら、大家の飼い犬のジョンが「ワン、ワン」と庭で吠《ほ》えた。

ふだんはおとなしい犬なのに、連続して鳴くとはめずらしい。なんとはなしに耳をそばだてていると、はたして来客を告げるブザーが室内に響いた。繭は部屋着にしているTシャツとハーフパンツを急いで身につけ、「はーい」と答えて玄関のドアを開けた。

真っ黒に日焼けし、無精髭《ぶしょうひげ》を生《は》やした瀬戸《せと》並木《なみき》が、「やあ」とにこにこして立っていた。

「ひさしぶり。元気だった?」

ものも言えずにいる繭の肩越しに、並木は室内を強引に覗《のぞ》きこんだ。「あれ、お兄さんですか?　こんにちは」

どこの世界に、妹の布団に全裸であぐらをかき、股間にタオルケットをかけた姿で来訪者を怪訝《けげん》そうに眺めるお兄さんがいる。いたら問題だ。

とにかく、これは歓迎しかねる状況である。どうして台所と居間の仕切り戸をちゃんと閉めておかなかったのかと後悔しながら、繭はなんとか並木を玄関から外へ押し返そうとした。しかし遅かった。並木はすでに、薄汚れたスニーカーを脱ぎかけている。追い打ちをかけるように、「お兄さん」呼ばわりされた晃生が仕切り戸から顔を出して言った。

「友だちか？　上がってもらったらどうだ、繭」

そういうわけで、二人の男と一人の女が、狭い部屋のなかで気まずく顔を合わせることになった。いや、気まずいと感じているのは繭だけなのかもしれない。並木のまえで悠然と服を着こんだ晃生は、ふだんと変わらず冷静な表情だし、いきなり現れた並木は、やっぱりにこにこしたままだ。

腰高窓の敷居に布団を干し、六畳間にスペースを作った。エアコンをかけていない部屋は蒸し暑い。麦茶の入った三つのコップも、それを眺める三人も、等しく汗をかいている。蟬《せみ》の声が開け放たれた窓から畳に降り注ぐ。丸いローテーブルを囲み、三人はしばらく黙って座っていた。

繭は口を数回、無駄に開け閉めし、やっとのことで、

「並木、あなたなんで急に来たの」

と言った。

「さっき成田《なりた》に着いたところなんだよ」

並木は、部屋の隅に下ろした登山用の大きなザックを顎《あご》で示した。使いこまれたザックは埃《ほこり》まみれで、縁《ふち》の部分がほつれていた。

「住むところが見つかるまで、ここにいさせて」

「だから、なんで私の部屋に？」

「だって、俺たちつきあってるだろ？」

ほがらかに並木は言い、めまいを感じた繭は、「つきあってない！」と大声を出した。

「断じてつきあってないからね！」

並木への抗議というよりは、黙って推移を見守る晃生への必死の訴えだった。並木は向かいに座る晃生を掌《てのひら》で指し、

「ええと、このひとはだれ？」

と尋ねた。

「伊藤晃生さん」

と繭は言った。いまつきあってるひと、とつけ加えるよりさきに、

「伊藤です」

と晃生が並木に軽く会釈《えしゃく》した。「話がまったく見えないんで、ちょっと質問していいかな」

「どうぞ」

並木は言い、繭もしぶしぶうなずいた。晃生は身じろぎして姿勢を正す。

「まず、俺は繭とつきあっている。この認識にまちがいはない？」

「ええっ」

並木はあわただしく繭と晃生の顔を見比べ、

「まちがいない」

と繭は力強く請《う》けあった。

「では次に、繭はこの……、並木さんだっけ？　並木さんとも、同時につきあってたのか？　つまり俺は、二股《ふたまた》をかけられていたわけか？」

「断じてちがう！」

繭は力強く否定し、

「ええっ」

と並木はのけぞった。「ひどいぞ、繭。俺たち、つきあってるじゃないか」

「それは三年前まででしょう！」

繭は髪の毛を掻《か》きむしりたくなった。「突然なにも言わずにいなくなって、それから音沙汰《おとさた》ひとつなかったのに、なんで『つきあってる』ことになるのよ！」

「えー。『別れる』とも言わなかったはずだけど」

「『別れる』とも『待ってて』とも言わずに三年も姿を消したら、それはフツー、別れたことになるんじゃないの」

「わかった」

と晃生が言った。「なんとなく事態が飲みこめてきた。並木さん。繭は俺と、半年前から交際している。そういうことなので、きみは出ていってくれ」

「えー」

と並木はまた言った。「まいったなあ。今晩だけでも泊めてくれない？　ここまでの電車賃で、有り金を使いはたしちゃったんだ」

「いやだ」

「冷たい。じゃあ、伊藤さんちでもいいですよ。ここで繭と一緒に住んでるんじゃないんでしょ？」

「たしかに、俺はべつにマンションを借りているが、しかしなぜ、今日はじめて会ったきみを泊めなきゃいけないんだ」

「じゃあじゃあ、伊藤さんちに繭と伊藤さんが行って、俺はこの部屋を一晩使わせてもらうっていうのは」

「いやだってば」

と繭は言い、

「却下だ」

と晃生も言った。

「そろって冷たい」

三人ともが間合いを計り、麦茶を飲んだり腕組みしたり畳の目を数えたりした。

夏の太陽がゆっくりと傾いていく。並木はテコでも動かない構えだ。並木に対するいらだちと、晃生がどう感じているだろうという心配とで、藺は胃が痛んできた。晃生がため息をついて腰を浮かし、ズボンの尻ポケットから財布を取った。

「これを貸そう」

一万円を抜き、並木に差しだす。「ホテルに泊まるなり、友だちの家までの交通費にするなり、好きに使ってくれ」

「うわ、すみません」

並木は躊躇《ちゅうちょ》なく札を受け取り、立ちあがってザックをかついだ。「お邪魔しました──」

玄関のドアが閉まり、外階段を下りていく足音がした。見慣れぬ姿に興奮したのか、ジョンがやはり連続して吠えている。

藺は大きく息を吐いた。

「あのお金、返ってこないと思う」

「そうかもな。まあ、上がれって言ったのは俺だから」

謝るのもおかしい気がして、藺はただ晃生の手に触れた。晃生は微笑《ほほえ》んで藺の手を握った。

優しいひとだ、と藺はこれまで何回も思ったことをまた思った。急にやってきた並木のことを、晃生はもうなにも聞こうとしなかった。常識を逸脱しているとしか言いようのない並木の言動についても、なにも品評しなかった。繭は、そんな晃生とつきあえてよかったと感じ、どうしてかつて、並木とつきあったりしたんだろうと自分に腹を立てた。

出会ったころの並木は、ちょっと馬鹿で気持ちに素直で、世界をまったくべつのものに変じさせる力を持っていた。並木がいつも持ち歩いているコンタックスのカメラ。そのレンズを向けると、花は魔法の書物のようにひそやかに蕾《つぼみ》をひらき、雲は不吉を告げる動物みたいに蠢《うごめ》いて流れ、ひとは記憶と感情のうねりを瞳に宿した。

並木の撮《と》る写真を通して、繭はいつもこの世の真実と本質を垣間《かいま》見る思いがした。深みに切りこみ、深みを切り取る並木の目と心と感性を愛した。純粋で激しい魂を。

並木をとても大切だと思い、離れるなんて想像できない、そんなことになったら生きていけないと思った日もあったのに。

少し哀《かな》しかった。晃生の穏《おだ》やかな優しさと、三年前と変わっていなかった並木の明るさが。

並木はいったい、どこでなにをしていたんだろう。どうして急に私のまえからいなくなり、また急にやってきたんだろう。

繭はそう考え、つないだ手から晃生に物思いを読み取られてしまいそうな気がして、あわてて考えるのをやめた。

藺と晃生は結局どこにも出かけずに、言葉少なにテレビを見て日曜の午後を過ごした。

夕方になって、藺は干していた布団を取りこんだ。その際になにげなくアパートの庭を見下ろしたら、ジョンの小屋に立てかけるように、大きなザックが置いてあるのが目に入った。灰色の毛並みをしたジョンが、困惑したように力なく尻尾《しっぽ》を垂らし、ザックのにおいを嗅《か》いでいる。

いやな予感がする。

ひとまず布団を畳に置き、藺は呼吸を整えた。見間違いだ。見間違いであってほしい。

「どうした？」

テレビから視線をはずし、晃生が尋ねた。

「ううん、なんでもない」

藺は笑顔を作り、そろそろと首をのばして、もう一度窓から庭を覗く。

ザックは消えていた。

やっぱり幻覚を見ただけだったのか。藺はため息をつき、室内に向き直る。そのとたん、来客を告げるブザーが鳴った。

「はい」

と晃生が返事をした。制するいとまもない。鍵《かぎ》をかけていなかった玄関のドアが開

き、ザックを背負い両手にスーパーのレジ袋をぶらさげた並木が、

「ただいまー！」

とスニーカーを脱いだ。

「なんで帰ってくんのよ！」

と繭は叫んだ。


混みあう電車のせいだけではなく、朝から繭は疲れはてていた。

「それで、どうしたの？」

佐伯《さえき》さんはタイル貼りの床にモップをかけながら、話のつづきをうながす。

「どうしたもこうしたもありませんよ」

アンスリウムだけで作った、小さなブーケのバランスを繭はたしかめた。カラーよりも少し小ぶりの熱帯の花は、プラスチックじみた苞《ほう》の部分が鮮やかなピンク色だ。欲望の舌みたいだなと、いっそ潔《いさぎよ》い形状にいつも笑いたくなる。

「伊藤さんと並木と私の三人で、並木の作ったキムチチャーハンを食べました。あと、中華風あんかけがかかった唐揚げも」

「おいしそうじゃない」

「おいしかったです。それで結局、なしくずしに並木を泊めることになって」

繭と晃生は六畳間にひとつの布団で、並木はザックを枕にバスタオルを腹にかけ台所

で、寝苦しい夏の一夜を過ごした。

性懲《しょうこ》りもなく戻ってきた並木に、晃生はさすがに呆気《あっけ》にとられたようだった。スーパーで食材を買ったお釣りを寄越せとも言わず、もはや諦《あきら》めたのか、並木の作った夕飯を黙々と腹に収めていた。食べ終わると晃生は、

「泊めてあげたらいいんじゃないか」

と繭に勧めた。「俺も今晩はここに泊まるから」

「いいひとだなあ、伊藤さん」

繭が否《いな》とも応とも答えぬうちから、並木は感極まったように言って正座した。「瀬戸並木です。改めて、よろしくお願いします」

「並木って、名前だったのか」

晃生はちょっと顔をしかめた。「初対面の男を名前呼びしてしまった……」

「いいじゃないですか、親しい感じで」

なあ、と並木は繭に同意を求めた。繭は無視した。

なにが「親しい感じ」だ。繭はいらいらと、ブーケを束ねた濃茶《こいちゃ》のリボンを切る。佐伯さんは床掃除を終え、手提《てさ》げ金庫から出した釣り銭をレジにしまいはじめた。繭も、できあがったブーケを店頭の小卓に見栄《みば》えよく飾る。猫足の白い卓に載《の》ったピンクのアンスリウムは、甘そうな果物みたいに朝の光を弾《はじ》いた。

「どうしてジョンは、鳴いて報《しら》せてくれなかったのかしら」

佐伯さんが首をかしげた。

「並木がビスケットで懐柔したそうです」

大家さんがかわいがっている犬なのに、おなかを壊したらどうするんだ。繭は腹立たしくてならなかった。

「なんだか大変そうねえ」

佐伯さんの声は笑いを含んでいる。

「まったくです」

色とりどりのバラが並んだガラスのショーケースを、繭は柔らかい布巾《ふきん》で憤然と拭《ふ》いた。銀色のバケツに入った切り花のバラは、佐伯さんと佐伯さんの夫が、早朝に市場で買いつけてきたばかりのものだ。

指紋ひとつなくガラスを磨《みが》きあげ、繭は前掛けをした腰を大きくそらした。空が青い。今日も暑くなりそうだ。

午前九時半。開店と同時に、近所に住むおばあさんが仏壇に供える花を買いにきた。

繭が勤める「フラワーショップさえき」は、表参道《おもてさんどう》から西麻布《にしあざぶ》の交差点に向かって十分弱の距離にある。しゃれた立地のようでいて、細い路地が縦横に走り、木造の小さな家が軒《のき》を並べる古くからの住宅街だ。「フラワーショップさえき」もニーズに合わせ、しゃれたアレンジメントから仏壇用の菊まで扱う。

佐伯さんの夫は、「フラワーショップさえき」の奥のスペースで喫茶店をやっている。「花屋を併設したカフェ」と言えれば聞こえがいいのかもしれないが、「喫茶さえき」はどうしたって「喫茶店」にしか見えない。カウンターは飴色《あめいろ》をしたウォールナット製だが、五つある楕円《だえん》のテーブルは偽物の大理石だ。テーブル席についた客は、布張りのソファに座ってコーヒーを飲む。ソファの背には、新幹線の座席のように白い布がかかっている。洗練とは程遠い。

専門学校のデザイン科に通っていたときから、繭はこの小さな花屋と喫茶店の常連だった。最初はアルバイトで雇ってもらい、専門学校を卒業すると同時に正式に採用されて、もうすぐ六年になる。菊を買いにくるおばあさん、表参道で複雑なカッティングの施《ほどこ》された服を売っている若い女性、西麻布のバーのママ。さまざまな客に対応し、満足してもらうため、フラワーアレンジメントの資格も取った。

繭はこの店が好きだ。おっとりした佐伯さんのことも好きだし、アルバイト時代を含めたら八年近くともに働いているのに、未だ名前を知らず「マスター」と呼ぶしかない無口な佐伯さんの夫のことも好きだ。バラとコーヒーの香りが優しく混ざりあう店に、いつまでもいたいと思っている。

だから、昨日までは悩みなどなかった。

「並木くんって、繭ちゃんがずっとつきあってた子でしょう」

佐伯さんが、バラのアレンジメントに取りかかりながら言った。青山《あおやま》にある小さなホテルのロビーに飾られる予定だ。繭も手伝う。オジアーナ、デザート、アンティークレース。少しずつ色合いの異なる薄いベージュのバラが、ため息に似てやわらかく重なりあう。合間に差す葉ものも、瑞々《みずみず》しい緑は避け、コルダータを主に使った。砂でできた繊細な楼閣《ろうかく》のように仕上げる。

「帰ってきたんだね、よかった」

そう言って、佐伯さんは微笑んだ。

佐伯さんの夫の手も借り、バラのアレンジメントを軽トラックの荷台に載せた。ホテルに向かって軽トラを走らせながら、繭は一人、「はい」とつぶやいた。

一日の仕事を終え、小田急《おだきゅう》線の世田谷代田《せたがやだいた》駅に降り立ったのは八時過ぎだった。ゆるやかな起伏のある細い道を、井《い》の頭《かしら》線の新代田《しんだいた》駅方向へ五分ほど歩く。生け垣に囲まれた一戸建てと、古い木造アパートが混在した静かな住宅地だ。環七《かんなな》通りの喧噪《けんそう》からはずれた道には、繭のほかに人影はなかった。食器を洗う音と、佳境を迎えたらしきプロ野球の実況中継の声が、どこかの家の窓から漏《も》れ聞こえてくる。

角を曲がると、木造二階建ての木暮荘《こぐれそう》が正面に見える。建物の外壁は茶色いペンキ、木製の窓枠は白いペンキで塗ってある。チョコレートと生クリームでデコレーションされた、小ぶりのケーキみたいだ。近寄ってよくよく見てみれば、分厚く塗られたペンキが凹凸《おうとつ》を作り、ぬかるみが固まったみたいだが。ペンキの剝《は》げた箇所《かしょ》を発見次第、大家が素人《しろうと》ながら刷毛《はけ》をふるっているためだろう。

　夏草の繁《しげ》る前庭から、ほのかに花の香りがする。ジョンはひんやりした今夜の寝床を求め、さかんに土を掘り返しているらしい。灰色のシルエットが薄闇に浮かぶ。

　繭は前庭から徐々に視線を移動させた。二階の端、二〇三号室の窓に明かりが灯《とも》っている。「一晩だけ」と言ったのに、並木は案の定、繭の部屋から出ていかなかったようだ。

　昨日生まれたばかりの悩みが、いよいよ実体になったかのような重みで繭にのしかかった。並木はいったい、なにが目的なんだろう。昔の男に居座られるような女に、伊藤さんは愛想をつかしてしまうんじゃないだろうか。

　錆《さ》びた手すりにすがるようにして、繭はアパートの外階段を上った。玄関のドアを開けると、並木に満面の笑みで出迎えられた。

「おかえり！」

　挨拶《あいさつ》を返す気力もなくし、黙って靴を脱ぐ。

　並木は、繭の花柄のエプロンを首から下げていた。窮屈だったのか、胴の部分の紐《ひも》は結んでいない。繭の沈黙にもめげることなく、「熱烈歓迎ー」と言いながら、垂れたエプロンの紐をプロペラのようにまわしてみせる。

「遅いから、さきに食べちゃおうかって話してたところ」

「え？」

　プロペラが放つ微風は無視した繭だったが、気になる発言を受けて顔を上げた。台所と六畳間の仕切り戸を開ける。エアコンの冷気が流れでた。六畳間のローテーブルには鍋の仕度《したく》がされており、晃生が缶《かん》ビールを手にテレビの野球中継を見ていた。

「おかえり」

晃生は繭を見上げて言った。「さあ、飯にしよう」

湯気の昇る鍋を、三人で囲んだ。晃生も並木も、とうにシャワーを浴び、繭の帰りをいまや遅しと待っていたという。繭は晃生に冷えた缶ビールを渡され、並木に「かんぱーい」と缶ビールをぶつけられ、わけがわからないと思った。

「なんだか仲良くなってない？」

「なってないよ。会社帰りに寄ってみたら並木くんがいたから、俺も上がりこんだだけ」

晃生はそう言い、繭の器《うつわ》にほうれん草やら鶏肉《とりにく》やらをよそった。

「うん、まだそんなに話せてない」

並木も、鍋から豪快に具をすくいながらうなずいた。「俺が台所で鍋の準備をしてるあいだ、伊藤さんはずっと優雅にテレビ見てるんだもん」

「どうして真夏に鍋なの」

と、繭は聞いてみた。

「ガキのころに読んだ漫画の話をしてたら、無性《むしょう》に食いたくなったから。知ってる？『九鬼《くき》クッキング』！」

「俺もまた読み返したくなった。第六の吸血鬼が現れて闇鍋対決をするくだりは、いま考えても盛りあがりかたが神がかっていたよ」

「ですよねえ」

なにが、「そんなに話せてない」だ。いくつになっても男は馬鹿だ、という説を再検証しながら、薊は黙々と鍋を食べた。並木が心配そうに、無言の薊を覗きこんでくる。

「エアコン効《き》かした部屋で鍋。サイコーじゃない？」

「サイコーじゃない。暑い」

薊が額《ひたい》に浮いた汗を拭《ぬぐ》うと、

「そっかね」

と並木はリモコンで設定温度を下げた。鍋の熱気と男二人の体温と野球中継の歓声が渦巻《うずま》く室内は、エアコンではどうにもならないほどむんむんしていた。

「薊と伊藤さんの」

並木は行儀悪く箸《はし》で交互に二人を指した。「なれそめってのは、なんだったんですか」

「まあ有《あ》り体《てい》に言って、合コンだな。俺の会社の同期と、薊の友人が、大学のサークルの先輩後輩だとかで幹事役だった」

「うっわ、ありがち」

並木は笑った。薊は眉間《みけん》に深く皺《しわ》を刻み、沈黙を守った。

「そう言うきみは、薊とどこで知りあったんだ」

「専門学校の同級生ですよ。繭はデザイン科で、俺が写真科。といっても、俺はふらふらしててほとんどガッコ行ってなかったんですけどね」

「その当時から放浪癖《へき》があったのか」

晃生の問いには答えず、並木は話を進めた。

「もう俺、繭に夢中で。なんたってはじめての女ですから。繭ははじめてじゃなかったけど」

繭は口からシラタキを噴《ふ》きそうになった。

「ちょっと！」

「なに照れてんだよ。『高校んときからつきあってた男にふられた――』って泣いてただろ？」

照れているのではなく、怒っているのだ。余計なことを言うなと繭は視線で告げたが、並木は素知らぬ顔だ。晃生が飲みかけの缶ビールを振った。

「それで慰《なぐさ》めてるうちに、つきあうことになった、と。ありがちだな」

「まあ、『チャーンス！』ってなもんでしたね」

並木はなぜか得意気だ。

「しかし繭。たしかきみ、今年で二十六だろう？」

晃生は酔いがまわってきたらしく、缶ビールとともに体も揺らしだした。「二十六で、つきあった男が三人って、ちょっと少な……」

「少なくないですよ！」

並木がさえぎった。「俺なんか繭一人ですもん！」

「何人でもいい！」

繭は耐えきれず、ローテーブルを掌で叩《たた》いた。「もうほんと、二人とも出てって！」

晃生に謝られ、並木に説得されて、繭は鍋のしめくくりとなる雑炊《ぞうすい》を食べた。並木が卵を溶き入れて作った雑炊は、これがまた癪《しゃく》に障《さわ》るほどおいしかった。しかし夕飯が終わるとすぐに、繭は二人の男を六畳間から台所へ放りだした。

木暮荘には、以前は風呂がなかったそうだ。そのかわり、各室の台所とトイレのあいだに、二畳に満たない意味不明なスペースがあったらしい。きっと大家が、さしたる考えもなく図面にOKを出したのだろう。幸いなことに、いまは狭いシャワーブースに改装されている。

繭がシャワーを浴びに行くときも、シャワーブースから六畳間に戻るときも、台所の床に座った晃生と並木は哀しげな視線を寄越した。繭は二人のまえを素通りし、「おやすみ」と言って仕切り戸を閉めた。

エアコンを消し、窓を開けて寝たので、人工的な冷気が逃げきった夜半過ぎに目が覚めた。仕切り戸の向こうで、晃生と並木が低い声で話していた。

「じゃあ、三年もあちこちをまわって、そのあいだ本当にだれともなにもなかったのか」

「あるわけないじゃないですか」

「本気なんだな」

「そりゃあねえ、へへ。あーあ、俺、もうちょっと早く帰ってくりゃよかった。繭と伊藤さんがつきあいだしたのって、半年前なんでしょ？」

「そうだよ。俺がつきあおうって言ったときも、繭は迷ってるようだった」

「でも、伊藤さんとつきあうことに決めた。本気なんですよ」

ばかみたい。繭はタオルケットをかぶり、両手で耳をふさいだ。


翌朝、並木の「いってらっしゃーい」の声に送られ、繭と晃生は連れだってアパートの部屋を出た。

足音を聞きつけたのか、ジョンが律儀《りちぎ》に小屋から出てきた。ジョンは、繭の膝《ひざ》ぐらいの体高の中型犬だ。左耳のさきだけ垂れている。繭がかがんで頭を撫《な》でてやると、ジョンはうれしそうに鼻を鳴らした。晃生は少し離れたところから、繭とジョンを見守っていた。ジョンは覚えの悪いところがあって、晃生に向かって、たまに思い出したように吠えるからだ。

二人でゆっくりと世田谷代田駅に向かう。代々木上原《よよぎうえはら》の小さな企画会社に勤めている晃生は、今日は社外での会議があるとかで、スーツを取りにいったん自分のマンションへ寄るつもりらしい。

「どうしよう、伊藤さん。このままじゃ絶対、並木に居座られる」

藺が言うと、

「それは困るな」

と晃生は笑った。

早朝から気温は上がりっぱなしだ。家々の庭に植えられた大きな木が、緑を濃く繁らせ日射《ひざ》しをさえぎってくれる。かわりに蝉の住処《すみか》になって、鳴き声が激しい雨粒みたいにアスファルトへ降ってくる。晃生がなにか言ったが、すぐ近くで油蝉があまりにも激しく鳴きだしたため、聞き取れなかった。

「なんて言った？」

藺は声を張りあげて尋ねる。晃生は苦笑し、藺の腕をやわらかくつかんで、大木の下から抜けだした。

「きみが木暮荘に住んでるのが不思議だった、と言ったんだ」

「どうして？」

「古いし、狭いし、使い勝手が悪い。玄関のドアなんて合板で、防犯にすぐれているとはとても言えない。働いて収入のある若い女性が、およそ住みたがらない物件だろう」

「大家さんはいいひとだし、庭があってジョンもいるし、駅から近いのに安い。学生のときから住んでて、なんとなく愛着があるから引っ越さないだけ」

「木暮荘はいいアパートだ」

と晃生は同意した。「きみは、あの部屋でずっと待ってたんだね」

藺は聞こえなかったふりをした。晃生もそれ以上追及してこなかった。白く乾いた道を少しのあいだ黙って歩いた。

こうしてずっと二人でいられればいい。それぞれの場所で仕事をして、一日が終わると同じ部屋——木暮荘の一室に帰る。そこでは並木がご飯を作って、二人の帰りを待っている。

夢みたいな生活。そして夢はいつか必ず終わる。

藺は晃生の手を取った。世田谷代田の駅舎が見えるまで、藺と晃生は手をつないで歩いた。藺の手は夏なのに冷たく、晃生の手は夏なのに乾いていた。

梅ケ丘《うめがおか》のマンションに戻る晃生は、藺とは反対方面のホームだ。改札で別れた。

「今夜も行く」

つないだ手を離す寸前に晃生が言ったので、藺は安心することができた。

前夜の顚末《てんまつ》を聞いた佐伯さんは、

「あらまあ、昔の男といまの男に愛されちゃって、藺ちゃんたらモテモテじゃない」

と無邪気に感心してみせた。

どこをどう解釈したら、「モテモテ」などという呑気《のんき》な感想が導きだされるんだろう。藺はバラの棘《とげ》を丁寧に取りながら、内心で疑問に思った。

「そんないいものじゃないですよ」

それは困るな、と晃生は言った。並木がずっと居座ったとしても、実のところちっとも困らないかのような顔をして。晃生は面倒くさくなったのかもしれない。今夜も来てくれると言ったのは嘘《うそ》で、繭のまえから姿を消すつもりかもしれない。並木がそうだったように。

合コンすれば、彼女なんてまたいくらでもできる。

指先に力をこめて、繭はバラの棘をへし折った。

「並木くんって、明るくておおらかな子だったよね」

繭の物思いに気づかず、佐伯さんがしゃべっている。「伊藤さんは、どんな感じのひとなの？」

「いつでも冷静で、まじめな大人の男のひとです。並木とはタイプがちがいますね」

「そうかなあ」

佐伯さんは楽しそうだった。「話を聞くかぎりでは、どっちも優しいひとだと思うけど。繭ちゃんは趣味がいい」

あっさりとどこかへ行ってしまいそうな男たちでもか。

「そうだといいんですけど」

繭は昏《くら》く笑った。店頭から客が顔を覗かせたので、笑顔の種類を急いで切り替え、応対する。

やってきたのは、毎週火曜日に必ず来店する女だった。三十歳ぐらいだろうか。いつもこざっぱりした恰好《かっこう》の、おとなしそうなひとだ。よく手入れされた艶《つや》やかな長い髪だから、繭は心のなかで「美容師さん」とあだなしている。美容院の定休日に、部屋に飾る花を買いにくるのだろう、という勝手な推理だ。

美容師さんは今週もひかえめな微笑を浮かべ、「シンプリーヘブンを五本」と言った。

「はい、少々お待ちください」

美容師さんがいつも指定する品種だ。繭はショーケースを開け、なるべく長持ちしそうな五本を選んで抜き取った。白いバラで、花芯《かしん》に近くなるにつれ花びらは上品な杏色《あんずいろ》を濃くする。香りはわずかだが、天国の名にふさわしい、うつくしい花だった。

繭が茎《くき》を切り、器用にラッピングしてリボンを整えるのを、美容師さんは毎回興味深そうに眺めている。しかし今日は作業の途中で、「あの」と声をかけられた。

「はい？」

「一本だけ、べつにラッピングしてくれますか」

「はい。でもそうすると、こっちが四本になっちゃって、数が悪いですが……」

「いいんです。どうせ私の部屋に飾るんだし」

じゃあ、と繭は言われたとおりにした。推理どおり自宅用の花だと判明し、やっぱり美容師なのかなと思った。

美容師さんは代金と引き替えに二組《ふたくみ》の花を受け取り、一本だけラッピングされたほうのシンプリーヘブンを、「どうぞ」と繭に差しだした。びっくりした繭は、反射的にバラを受け取った。

「なんだか元気がないみたいだから。部屋に花があると気分もよくなります」

ろくに礼も言えないうちに、美容師さんは店から出ていってしまった。

「ほら繭ちゃん、モテモテじゃない」

やりとりを見ていた佐伯さんが、おおげさに感嘆してみせた。

「このうえ女のひとまで入ってきたら、話がいっそうややこしいです」

買った花を、その場で「きみに」と渡す。そんな気障《きざ》なひとが実在するとは。困惑と驚きを体になじませようと、繭は首を振った。自分のものになったシンプリーヘブンを、ラッピングのままとりあえずショーケースに収める。

さっきまでは並んだ商品のひとつだったのに、いまは繭に向かって特別に咲きかけているような気がするから、現金なものだ。美容師さんの言うとおり、花は気分をよくしてくれる。

そんなに気落ちして見えるんだろうかと、繭は両手で頬《ほお》をはたいて気合いを入れ直した。

常連が何人も来たり、急な注文が入ったりで、閉店時間よりもまえに花が売り切れたので、その日は早じまいになった。佐伯さんの夫がいれてくれたコーヒーを飲んで、好調だった売り上げを佐伯さんと祝した。

世田谷代田の駅に着いたのは、日のなごりがある午後六時半だった。夕飯のにおいを嗅ぎながら帰宅するのはひさしぶりだ。自然と鼻歌がこぼれた。

「繭」

声をかけられて振り返る。ジョンと並木が立っていた。ジョンは尻尾を振り、並木は引き綱を持っていないほうの手を振っている。

「どうしたの」

思いがけないコンビに驚いて問うと、並木は笑顔で近づいてきた。

「庭でこいつと遊んでたら、一〇一号室のじいさんに、『散歩に連れていってやってくれ』って頼まれてさ」

「ジョンだよ」

「え、あのじいさん、外人さん？」

「犬の名前に決まってるでしょ。おじいさんは、大家の木暮《こぐれ》さん。去年から、ジョンと一緒にアパートに住むようになったの」

「そうなのか」

並木はふんふんとうなずく。ジョンは、繭が持っていた白いバラに鼻を寄せた。

「シンプリーヘブンっていうんだよ。きれいでしょ」

繭はジョンに説明したのに、

「うまそうなカスタードクリームみたいな花だねえ」

と、並木がバラを見て目を細めた。「あの店でいまも働いてるんだな」

「そう、ずっと」

変わることなく暮らしていた。並木がいなくなってから、ずっと。

「少し散歩につきあわない？　伊藤さんもまだだし、飯はもうちょっとあと。な？」

並木が言い、薊はうなずいた。ジョンは庭で放し飼いにされているが、散歩はまた格別なのだろう。張り切ってさきに立つ。

あたりは急に薄暗くなった。街灯が次々に灯りだす。薊はそれに勇気を得て、思いきって尋ねた。

「三年もどこに行ってたの」

「いろいろだよ」

「写真は撮った？」

「撮った。戦争も、花も」

ジョンが電柱の根もとで片足を上げた。薊と並木は足を止め、ジョンのマーキングが終わるのを待った。

「薊が知りたいのは、そういうこと？」

静かに並木に尋ねられ、薊は少し考えた。考えてから、首を振った。

「どうして、なんにも言わずにいなくなったの。どうして、いまごろになって帰ってきたの」

「伊藤さんといて、幸せ？」

「はぐらかさないで」

「はぐらかしてない。それによって、答えが微妙に変わってくる」

藺は今度は慎重に考え、正直に答えた。

「たぶん幸せだと思う。伊藤さんがどう思ってるかはわからないけど」

「なんで？」

「だって並木が居座っても、ちっとも動揺してないみたいじゃない」

「そうかなあ」

と並木は笑った。佐伯さんの歌うような「そうかなあ」とちがって、それはなんだかさびしい響きをしている。

「俺にはものすごい秘密があるんだよ」

笑うのをやめ、並木は言った。藺は呼吸も控えめにして、並木の言葉を待った。ジョンが道路脇の茂みに数歩踏み入り、しゃがんでいきみだした。

「あ、うんこだ」

「ちょっと！」

「いやいや、うんこの始末は大事だって」

ジョンは排泄物《はいせつぶつ》とはてんで見当違いの方向に土をかけた。並木はかがんでジョンの背を撫で、持っていたレジ袋とスコップを使う。

散歩が再開され、厳《おごそ》かな調子で話のつづきもはじまった。

「その秘密ゆえに、俺はあのとき、繭のそばをどうしても離れなきゃならなかった」

「……なにがあったの？」

「気づいちゃったんだ、自分が吸血鬼だってことに！　不老不死の俺と繭とでは、生きる時間がちがう。一緒にはいられない。絶望した俺は……」

繭は無言のまま、並木の腰に蹴《け》りを食らわせようとした。並木は飛びすさり、「わかった、悪かった、暴力反対！」と叫んだ。ジョンが喜んでジャンプした。

「あんた自分の顔を鏡で見た？　三年ぶん、きっちり老けてるよ。おっさんになってるよ。太陽の下をふらふら歩いてきて、昨日もバカみたいにたくさん鍋食べてたよ」

「そんな、畳みかけるように言わんでも……。ちょっとした冗談だって」

「お願いだから真剣に答えて」

「自分でもよくわからない。俺はこれからもきっと、ずっとこうだと思う。気の向くままふらふら歩く」

地の果てまで、たった一人で。さびしいじゃないかと言おうとして、やめた。繭は結局、並木の居場所にはなれなかった。三年という時間が、その事実を残酷なほど告げている。

「それは俺の性格っていうか性癖で、繭の責任や落ち度はなんにもない。それを言っとかなきゃいけないと思って、戻ってきた」

「もし、私が伊藤さんとつきあわずに待ってたら」

並木の帰る場所になれた？　ふらふらと世界中を歩いて何年経《た》とうとも、ふと「帰ろうかな」と思い立つ場所になれた？　聞きたかったが、熱い塊《かたまり》がこみあげて喉《のど》に詰まった。

並木は言葉にならなかった声を聞き取ったみたいに、

「たぶん」

と言った。「いや、どうかな」

散歩を終えて、ジョンをアパートの庭に放した。ジョンは暗闇を過《あやま》たず走っていき、犬小屋の脇に置いてある鉢《はち》の水を勢いよく飲んだ。

繭と並木が外階段を上がっていくと、ドアのまえで晃生が待っていた。

「おかえり」

と晃生は言った。繭と並木は「ただいま」と答え、三人で部屋に入った。

シンプリーヘブンをコップにいけ、ローテーブルに飾った。並木が作った夕飯を食べ、それぞれがどこで寝るかでまた一悶着《ひともんちゃく》あった。

「もういっそのこと、三人でやっちゃうってのはどうかな」

と並木は提案した。晃生が一瞬考えるそぶりを見せたので、繭はあわてて「却下」と言った。

「なんでさ」

「そんなの、私ばっかり疲れるじゃない」

「いやあ、二倍気持ちいいもんだと思うけど」

にやにやする並木を、藺は仕切り戸から台所へ押しやった。

「あなたはただの居候《いそうろう》でしょ。私は伊藤さんと寝る」

「あ、居座りから居候に昇格した」

うれしそうな並木に、バスタオルを投げつけた。晃生は植物じみた静けさで、二人のやりとりを眺めていた。


「それで、どうしたの？」

佐伯さんは濡《ぬ》れた体をタオルで拭いながら、話のつづきをうながす。

「どうしたもこうしたもありませんよ」

藺はタオルを頭からかぶったまま、ちらかった店内を忙しく整頓《せいとん》した。

激しい夕立のせいで、まだ三時過ぎだというのに表は暗い。遠くで雷も鳴っている。

藺と佐伯さんは手分けして、店頭に出ていた猫足の小卓やミニブーケの入った籠《かご》を運び入れたところだった。太陽が雲に隠れると、エアコンが効きすぎて濡れた肌には寒いほどだ。埃っぽい夏の雨のにおいがする。人通りはまったく途絶えた。アスファルトに白い飛沫《しぶき》が立つ。

雨音に包まれ、核シェルターにいるみたいにとても静かだ。

「夜中に並木が台所から入ってきて、私は、『もうだめだ、新しい世界を体験させられちゃうんだ』と緊張したんです」

「期待した、のまちがいじゃない？」

「ちがいますって。隣《となり》で寝てる伊藤さんを起こそうかどうしようか迷ってたら、並木は私の横に転がって、すぐにグーグー眠りはじめました」

「なんにもせず？」

「私の手を握って。ここ数日、私が真ん中になって、三人で手をつないで寝てますよ」

「あらまあ、川の字」

佐伯さんはあきれたように言った。「逆に変態じみてない？　ねえ？」

同意を求められた佐伯さんの夫が、「喫茶さえき」から盆に載せて運んできた二つのコーヒーカップを作業台に置き、黙ってうなずいた。そして黙ったまま踵《きびす》を返し、「喫茶さえき」のフロアを横切って、カウンターの内側に収まった。

熱いコーヒーを飲み、ラジオから流れる甲子園《こうしえん》の試合の様子に耳を傾けた。西のほうでは雨は降っていないらしい。佐伯さんは、愛媛《えひめ》代表は故郷の宇和島《うわじま》の高校だと言って、試合経過に一喜一憂した。

相手チームが「カキン」といい音をさせたところで、

「もう結論は出た？」

と佐伯さんが言った。

藺はうなずいた。とっくに出ていたのに、認められずにいただけだ。哀しくて悔《くや》しくて、時が経ったことに気づかぬふりをしてきただけだ。

「あら、上がったみたい」

佐伯さんはカップを持ったまま、店先から表に顔を出した。「やっぱり通り雨だったね」

灰色の雲が切れ、街は取り戻した音とともに、また動きはじめていた。


部屋で一輪だけ咲き誇るシンプリーヘブンは、予想よりも早く花弁が開ききった。藺はこまめに水を替えるよう心がけ、茎も一度切ってみたのだが、暑さのせいだろう。

並木は日中、どこかに出かけているようだった。藺と晃生が帰るころには、夕飯を作って待ちかまえていたが、部屋に昼間の熱気がわずかに残っているのでわかった。

並木が現れてちょうど二週間目の日曜日に、三人で神宮《じんぐう》球場へナイターを見に行った。金もないのにどうやって手に入れたのか、土曜の晩に並木が人数ぶんのチケットをローテーブルに並べ、藺と晃生を誘ったのだ。

ヤクルト対中日戦だった。三塁側の外野席はそこそこの入りで、頻繁《ひんぱん》にまわってくるタンクを背負った売り子を呼び止めては、三人で思うぞんぶんビールを飲んだ。

水銀灯の光を弾《はじ》き、ライトスタンドではヤクルトファンが持つビニール傘がきらめいて揺れた。

晃生は中日がヒットを放つたびに立ちあがった。選手の名も妙によく知っていた。

「そういえば名古屋《なごや》出身だったっけ」

と繭が言うと、

「ああ、まあ」

晃生は咳払《せきばら》いして座席に腰を落ち着けた。贔屓《ひいき》の球団を熱く応援する姿を見られて、どことなく恥ずかしそうだ。べつにかまわないのに、と繭は笑ってしまった。

「並木くんは、どこのファンなの」

晃生は身を乗りだし、繭の隣にいる並木に話を振った。

「どこってこともないですね。たまに球場で応援するのは好きですけど」

騒がしさの底に静寂と緊張感がひそむ雰囲気を愛しているのかもしれない。繭はそう思った。晃生も同じように思ったらしい。

「もう一杯飲もうか」

と、繭と並木にまたビールをおごってくれた。

楽しかった。笑いあい、歓声をあげ、くたくたになってアパートに帰った。交替でシャワーを浴び、布団に対して直角に上半身だけ載せ、三人で並んで眠った。

月曜の夜、繭は帰宅するのがこわかった。並木はもういないのではないかと思った。だから角を曲がって、二〇三号室に明かりが点《つ》いているのを見てほっとした。足早に階段を上がりドアを開けると、「おかえり」とこれまでどおりに並木が出迎えた。

「カレー？」

「そう。本場仕込みのスパイスの配合で作った。伊藤さんが帰ったら、心して味わえよ」

「並木は？」

不安になって尋ねると、

「もちろん俺も食うよ」

と並木は笑ってみせた。

六畳間には、白黒の写真がたくさんちらばっていた。

「どうしたの、これ。並木が撮った写真？」

「うん。今日、知りあいんとこで現像させてもらってきた」

晃生が帰るのを待つあいだ、繭は畳に座りこみ、一枚一枚を拾い集めながらじっくり眺めた。繭と一緒にいたころと変わらず、いや、もっと鮮烈に深くなった並木の視線が、情熱に満ちた陰影となって印画紙に投射されている。目を背《そむ》けたくなる情景も、目を奪われるような風景も、すべてが音と光と熱を宿している。たまに並木が、その土地のひとや空気がどんなだったかを語った。

「たくさんのものを見たんだね」

繭の知らない三年間、繭が想像しつづけた並木の三年間が、いま繭の手のなかにあった。

「これからも見るよ」

と並木は言った。気負いはないが、確信の籠《こ》もった口調だった。その目に映《うつ》ったものを、こうして見せにくることはもうないのだろうと繭は思った。

最後の一枚を眺め終わり、繭は写真の束を手にうつむいていた。並木は束を優しく取りあげ、ザックにしまった。ジョンが庭で「ワン」と吠えた。

急に視界がかげり、繭は顔を上げた。並木が腰をかがめ、繭の肩に手をかけた。強い腕だ。驚いているうちに、繭は畳に押し倒された。

「ちょっと並木、なに」

「最後にやんない？」

「やんないよ、なに言ってんの！」

必死になって手足をばたつかせるのに、並木は力をゆるめない。影になって表情がよく見えない。繭ははじめて恐怖を覚えた。

「いやだ、やだやだー！」

叫んだとたん、体が軽くなった。並木はローテーブルを吹っ飛ばして部屋の隅に横倒しになり、肩で息をした晃生が繭の足もとに立ちはだかっていた。黒い通勤鞄《かばん》で、力任せに並木を殴《なぐ》りつけたものらしい。

「なにをしてるんだ、おまえは！　繭はいやだって言ってるだろうが！」

晃生は倒れこんだままの並木を一喝《いっかつ》し、繭を助け起こした。助け起こすついでに、めくれあがっていた繭のスカートをさりげなく直した。

繭は晃生の肩越しに、並木をおそるおそる見た。並木は畳に手をついてようやく上体を起こし、「いってぇ」と側頭部をさすっているところだった。

「見たか、繭。だれが動揺しないって？」

並木は言い、ザックを持って立ちあがった。振り返りもせず部屋を出ていく。

繭と晃生は、閉まったドアをしばらく見ていた。

「繭」

と晃生が言った。

「うん」

と言って、繭は靴脱ぎにあったサンダルをつっかけ、部屋から走りでた。外階段を下り、駅のほうへ向かおうとして、ジョンの鳴き声に呼び止められた。犬小屋の脇でジョンを撫でていた並木が、「あらら」とまぬけな声をあげて笑った。

「ひさしぶりに伊藤さんと二人になれて、さっそく仲良くするんだろうと思ってたのに」

「ふつう、こんなとこでぐずぐずしてないで電車に乗るもんだと思ってたけど。それで私が、『並木ー、元気でねー』って泣きながらホームを走る」

「俺はフツーじゃないんだ。ジョンに別れも言わなきゃならないし」

繭と並木は顔を見あわせて笑った。

「私には？　今度も私には別れを言ってくれないまま行っちゃうんだ」

「この一週間、いや、八日間か。ずっと心のなかで言ってたよ。聞こえなかった？」

「聞こえてた気がする」

「じゃ、それで勘弁して。口に出したら泣けちゃいそうだ」

「なさけないわねえ。あなたいったいいくつの男よ」

「はじめて好きになったひとですから」

並木は茶化すように、しかし真情の感じられる声で言った。「じゃあ、元気で」

「うん、並木も」

繭とジョンに手を振り、並木は夜の角を曲がって消えた。

繭はその場にしばしたたずみ、鼻を鳴らして見上げてくるジョンの頭を一撫でしてから、アパートの外階段を上って部屋に戻った。

六畳間では、ひっくり返ったローテーブルをもとどおりにした晃生が、窓辺に座っていた。シンプリーヘブンはコップごと倒れたらしく、畳に水のこぼれた跡《あと》があった。バラは落ちた数枚の花びらとともに、ローテーブルに載せられていた。

「これが残ってた」

と言って、晃生は封筒を差しだした。「テーブルが倒れた拍子《ひょうし》に、濡れたみたいだ」

丁寧に拭ってくれたようだが、水気を吸ってわずかに波打っている。繭は受け取った封筒を開けた。しわくちゃの千円札が一枚と、白黒の写真が一枚入っていた。

「テンジクアオイ」

「え？」

「ゼラニウムのこと。これは原種に近いかもしれない。南アフリカが原産で……」

そこに写しだされていたのは、可憐《かれん》な白い花。乾いた大地を一面に覆《おお》いつくし、雲の湧く空との境目も曖昧《あいまい》になるほど、はるか彼方《かなた》までつづく花畑だった。

並木。あなたはずいぶん遠くまで行って、とてもうつくしいものを目に焼きつけてきたんだね。

この地上で一番きれいだと思う風景を、この部屋に残していこう。並木はきっと、そう思ったにちがいない。

藺がいまも「フラワーショップさえき」で働いていて、白いバラをきれいだと言ったから。自分が撮ったなかで一番きれいでうつくしい、白い花の咲き乱れる楽園の写真を残していった。

「並木くんは、どこへ行くか言っていた？」

写真に見入る藺に、晃生は心配そうに尋ねた。

「ううん」

藺は首を振る。「でもきっと、並木なら」

どこへ行っても、そこに天国を見つけるだろう。哀しみのなかにも、苦しみのなかにも、輝くものを見いだし、そっとカメラに収めるのだろう。

「伊藤さんへ、ってことみたい」

繭が千円札を渡すと、

「ゼロが一個少なくなった」

晃生は諦め顔で、札の皺を掌でのばした。

繭は花畑の写真を画鋲《がびょう》で壁に留めた。それから晃生を振り返り、

「おなかがすいたね。カレーを食べよっか」

と笑いかけた。

心身

きっかけは、旧《ふる》くからの友人の見舞いに行ったことだった。

友人といっても、実際に会うのは二、三年に一度がいいほうで、それでも年賀状だけは取り交わすという程度の仲だ。互いに家庭を持ち、忙しく働いていれば、そういうものだろう。ただ木暮《こぐれ》としては、学生時代に一番親しく語りあい、笑いあったのはその友人であると思っていたし、世の中で言う「親友」の言葉に当てはまるものが自分にいるとすれば、それは彼だと思ってもいた。

そんな大切な友が病《やまい》に倒れ、しかももうすぐ死ぬらしいと聞いたからには、会いに行かねばなるまいと、電車とバスを乗り継いで郊外の総合病院へ向かった。

バスの窓から見える空は灰色。

死んで周囲に驚かれるより、むしろ当然と受け止められそうな年齢になったが、見舞いに赴《おもむ》く木暮の気持ちは沈んでいた。友人を失おうとしているからではなく、死の床に伏した友人となにを語らえばいいのか見当もつかないためだった。

木暮はこれまで、死にそうな人間とちゃんと相対《あいたい》したことがなかった。親の介護は妻がしてくれたし、友人知人の見舞いにもろくに行ったことがなかった。仕事が忙しいというのが理由で、それは事実ではあったのだが、死にそうな人間とどう向きあえばいいのかわからない、怖《こわ》いという思いもあった。赤ん坊やめずらしい動物の扱いに困るのと同じ気持ちだ。そういえば木暮は、子どもの世話も妻に任せきりで、自分ではほとんどした記憶がない。

結局老年になっても、死に瀕《ひん》したものとのつきあいかたを知らぬまま、ついに病院へ足を向けるはめになった。定年後に再就職した会社も辞《や》め、時間だけはある身となっては、見舞いを避ける言い訳が見あたらなかった。

困った困ったと思ううち、もう病院だ。出がけに妻から与えられた助言に従い、花だけは買った。迷ったすえに、持ち歩いても恥ずかしくない地味な色のものを選んだ。名前は知らない。

花でも菓子でもなんでもよかったのだと気づいたのは、友人を見たときだった。もはや肉というもののない体は、内臓からゆっくりと壊死《えし》しているのか、なにやらほのかな腐臭を漂わせながら、ベッドに横たわっていた。花も菓子も無意味である。

それでもちょうど生命に最後の光が射《さ》す時期だったのか、痛み止めを大量に投与されて朦朧《もうろう》としてはいるものの、友人の目は開き、口は言葉を発せられる状態だった。

「おい後藤《ごとう》、気分はどうだ」

間抜けきわまりなく声をかけると、妙に青々とした友人の眼球がわずかに動き、木暮を映《うつ》したようだ。

木暮を木暮と認識したのか、見舞い客にいつもする話なのか定かでないが、後藤が唐突に語りだしたところによると、

「俺ぁもうだめだよ」

ということだった。否定できかねる状況なのは明らかなので黙っていると、後藤はつづけていわく、

「かあちゃんにセックスを断られた」

木暮がどきりとしたのは、セックスという単語が七十過ぎの友人から出たことで、木暮自身は性行為について考えるとき、具体的単語を当てはめず、「――（モニャモニャ）」とぼかすのが常だった。若かりしころに友人たちとした猥談《わいだん》などでは、侮《あなど》られたくないという思いもあって、「オ×コ」とか「する」とか「やる」とか「抱く」とか口にすることもあったが、それは伝達のためにいたしかたなく単語を付与したのみであって、頭のなかではやはりその行為はいつも、「――（モニャモニャ）」なのだった。

それがセックスなどと、からりとした響きの身に染《そ》まぬ横文字になって長年の友人の口から出ると、名称を耳にするばかりで食ったことのない料理のように、あやふやなものに感じられる。

どきりとしたもうひとつの理由は、ベッドを挟んで反対側に、セックスを断ったという当の「かあちゃん」が座っていたことで、老境に入った友人の夫婦生活を知りたくは

なし、しかし死にゆかんとする友人がしゃべるのをさえぎることもできず、木暮はただもじもじとパイプ椅子《いす》から尻を浮かし気味に、やせ衰えた友人とその妻の顔とを、控えめに見比べるばかりだった。

「断るかねえ、ふつう。俺はもう死ぬんだよ？　五十年も連れ添ってきて、むごいと思わないか」

一時帰宅した夜のことを、かすれた声で後藤は語る。病苦のためか笑いたいのか、その顔はわずかにひきつっている。後藤の妻は夫を制するでもなく、無表情に座っている。なんだか凄絶《せいぜつ》なものを感じ、木暮はいたたまれない。

「おまえの体を心配してるんだよ」

なんとか後藤を黙らせようと、細君をうかがいながら小声でたしなめるように言ったのだが、意地なのかすでに脳のたががゆるんでいたのか、後藤はしゃべりやまなかった。

「なあに、そんないいもんじゃない。俺とはやりたくないってだけのことだ。そりゃあ少々遊びもしたが、俺は家族のためにがんばってきたつもりだ。それが最後の最後で、なんのいやがらせだろう。いや復讐《ふくしゅう》だよ、これは。なあ、むごいと思わないか」

後藤の妻は、皺《しわ》の多いやつれた顔にあいかわらずなんの表情も浮かべず、

「わざわざすみませんねえ」

と、病室をあとにする木暮を見送った。

「お大事に」

と木暮は言って、その上《うわ》っ面《つら》の言葉が廊下に落ちるよりさきに、ほうほうの体《てい》で逃げだした。

病院から帰る道すがらも、家に帰りついてからも、木暮は後藤とその妻について考えた。もっとはっきり言えば、後藤によって明確な単語を与えられた「セックス」なる行為について考えた。

後藤夫妻になにがあったのか知らない。奥さんがセックスを断ったのは、後藤の言うように、かつての浮気やらなんやらに対する逆襲の一撃だったのかもしれない。単純に、気が乗らなかっただけかもしれない。老いて死にそうな、腐臭を放つ男にセックスしたいと言われて、ためらうのも当然であると思えた。いくら半世紀連れ添った相手とはいえ、それはしかたのないことだ。半世紀連れ添ったからこそ、いまさらセックスなどせずとも互いを思いやる気持ちは本物だとわかっているし、むしろセックスすることで体力を消耗させるのはよくないと判断したのだ、とも考えられる。

だいたい、最後となるであろう一時帰宅の際に、セックスなどできるものだろうか。そういう気持ちになることはあるかもしれないが、実際に体が用をなす状態になるとは思えない。しかも相手も、しわくちゃのばあさんだ。

木暮は、自分の妻とどれだけセックスしていないのか勘定しようと試みたが、もはや最後にいつセックスしたのか曖昧《あいまい》だった。それぐらい昔のことだったし、このごろでは記憶力にやや翳《かげ》りが見えはじめたからでもあった。セックスしたいと灼《や》けつくような欲望を覚えたのも、はて最後はいつだったか。

死を目前にして、老いた妻になお挑まんとした後藤に、感嘆とも悔《くや》しさともつかぬ念を抱いた。にもかかわらず拒《こば》まれた後藤の落胆と無念を思うと、哀《かな》しみともおかしみともつかぬ情が湧いた。後藤の細君はひどい、そういえば若いころから、あの女はどこか取り澄ましたようなところがあった。しかしまあ、細君が断るのもしかたがないとも言える。木暮は自宅の茶の間で見るともなしにテレビを見ながら、そのようなことをとめどなく思いめぐらしたのだった。

それから一月《ひとつき》もしないうちに、後藤が死んだと連絡が来た。葬式に行って、涙に暮れる後藤の子どもや孫たちを見た。後藤の妻も泣いていた。後藤は人生の最後に願ったセックスを、果たすことなく死んだのだなと木暮は思った。また、哀しみともおかしみともつかぬ感情に襲われた。

浄《きよ》めの塩を振って玄関を入った木暮を、妻はいつものように穏《おだ》やかに出迎えた。以降もなんということもなしに日常を送り、あるときふと思い立って、木暮は妻に聞いた。

「俺がもし、セックスしたいと言ったら、おまえどうする」

妻は昆布のつくだ煮を飯のうえに載《の》せたところだったが、

「いやですよぉ」

と笑って箸《はし》をちょっと振った。それからうまそうに、つくだ煮の汁を飯になすりつけて食べた。いまの「いやですよぉ」は、拒絶だったのか照れからくる単なる相槌《あいづち》だったのか、どちらだ。どちらとも判別がつかなかった。

セックスしたいと願いながら果たせず、死んでいったものなどごまんといるだろう。愛やら情やらといった崇高《すうこう》なる精神を表現するのに、セックスは必須条件ではない。ないとされる。それはわかっている。

しかし木暮は、燃えるようにセックスしたいと思った。自分が実際に行為を成し遂《と》げられる年齢や肉体であるか否《いな》かは、たいした問題ではない。とにかく俺はいま、俄然《がぜん》と、猛然と、燃えさかるようにたぎるように、セックスしたいのである。そう思った。

ちょうど娘夫婦が、転勤の都合だとかで家に転がりこんできた。部屋は手狭になり、妻は嬉々として孫の面倒を見るのに忙しくなった。木暮は、木暮荘《こぐれそう》の空《あ》き部屋に移ると申し出た。

木暮荘は、親から譲り受けた土地にずいぶんまえに建てた木造アパートで、古いものだから近ごろでは入居者もまばらだ。つぶしてマンションでも建てようかと考えたこともあったが、それだけの財力はなかったし、どうせもうすぐ自分は死ぬから、そうしたら土地を売った金を遺産として子どもたちが適当に分配するだろうと、そのままにしていた物件だった。

妻は娘と孫に囲まれた暮らしに満足しているようで、木暮が家の近所のアパートに引っ越すことに、特に異は唱《とな》えなかった。娘の夫は恐縮したが、かといって引きとめはしなかった。木暮にはなつかぬ孫たちは、木暮が引っ越したあとの部屋をだれが使うかで喧嘩《けんか》した。

夏の最中《さなか》に、飼い犬のジョンを連れて家を出た。ジョンの散歩は妻が請《う》け負っていたのだが、孫で手一杯になってからは、犬小屋につながれていることが多かった。木暮荘なら広い前庭があるから、ジョンにとってもいいだろう。

ジョンはすぐに、草が生《お》い繁《しげ》った木暮荘の庭を探検し、引っ越し屋が家から運んできた犬小屋の周囲を確認した。木暮は、少々の家具を設置した部屋の掃除を終え、庭で揺れるジョンの尻尾《しっぽ》を掃《は》きだし窓から眺めた。新しい畳の青々としたにおいがする。

自由だ、と思った。

さて、だれを相手にどうやってセックスまで持ちこんだらいいのかが問題だ。「セックス」という単語を脳内で使うことに、ようやく抵抗がなくなってきたが、具体的方策はさっぱり浮かばない。

やはり、売春婦を買うのか。庭に出した小さな椅子に腰かけ、木暮は考える。おとなしく足もとに座るジョンの頭を撫《な》でてやる。傍目《はため》には、枯れた風情《ふぜい》の独居老人が日なたぼっこしているように見えるはずだが、その実、木暮の身の内は嵐だ。

木暮はもともと女を買うことに慣れていなかった。そういう類《たぐい》の接待などはすべて断り、謹厳に仕事に打ちこんできた。

いまは売春云々《うんぬん》とは言わないのかもしれない。もっとこう、なめらかな感じの言葉が……。トルコ風呂。いや、そんな名称のものがすでに存在しないことぐらいは、さすがに知っている。援助交際。見も知らぬ子どもに金を払うぐらいなら、孫に小遣いをやったほうがいい。

貧弱な知識をあれこれ引っ張りだしては、次々に打ち消す。

風俗。そうだ、風俗と総称されるものだろう。一人打ちうなずき、そこで木暮はためらいを感じた。たしかにセックスをしたい。しかし買った女とするのは、なんだかちがう気がする。

幸いなことに、木暮も妻もいまのところ年のわりには健康である。頼めば、妻は意外にすんなりと応じてくれるかもしれない。木暮は妻に不満があるわけでも、若い女とセックスしたいわけでもないのだから、これまで積極的に取り組んでこなかった女を買うという行為に、いまさら手を出す必要はないと理性は告げる。

むむ、と木暮はうなり、だれも見ていなかったが、一応「過ぎ去った日々を穏やかに懐《なつ》かしむ老人」のふりをして目を細めた。ここは大切なところだ。自分の心を慎重に探らねばならない。

ではなぜ、妻のいる家から出て、木暮荘での暮らしをはじめたのか。セックスしたかったからだ。待て待て、それでは堂々めぐりだ。もう一歩踏みこんで考えるに、自分を拒まない女とセックスしたかったからだ。

遠からず、死が木暮を訪《おとな》う。そのとき、最後にぜひセックスさせてくれと頼んで断らない相手が、木暮は欲しい。過ごしてきた時間と立場を考えると、頼むのにふさわしいのは妻である。しかし、妻とは感情の交流が成立し、互いを知りつくしている。言葉をかえれば、遠慮がなくなっている。必然的に、容赦《ようしゃ》なく断られる可能性も高い。

木暮は妻を妻として認め、もはや激情はないながらも慈《いつく》しみを覚える。もしかしたら、この気持ちこそを愛というのかもしれないと思うほどだ。そういう妻に対して、死の間際にセックスしたいと改めて告げ、断るか受け入れるかを妻に選ばせ、断ると決めたときの妻にうしろめたさを感じさせたくない。もちろん、妻から断られてがっかりし、がっかりしたまま最後のセックスをできずに死にたくもない。

長い年月をかけて関係を築きあげた身近な人々は、身近であるがゆえに、木暮のなかに渦巻《うずま》くこの欲望を救えない。なんという皮肉。

かといって、金で買った女、木暮の要求を絶対に断れない立場の女に、セックスしてもらってもうれしくない。それは木暮の自尊心が許さない。木暮は後藤の勇姿と落胆に触発されて、老いらくのセックスへの野望を抱いたのであるから、金の力と女の情けとにすがって行為を果たしても、ただむなしいだけで終わると目に見えている。

断られても衝撃を受けず、しかし必ず受け入れてくれると確信を持てる女性。つまり、妻ほどなじんだ身近な存在ではなく、だができれば、金銭の授受や立場の不均衡《ふきんこう》が発生しない女性が望ましい。そういうひとこそ、木暮の求める相手だった。

そんな都合のいい相手など、いるわけがない。

木暮は肩を落とした。ジョンは尻尾を振り、忠実な目で木暮を見上げた。

恋か。またもや新たな想念が湧き、木暮は顔を上げてアパートの庭に視線をやった。

庭の草は一時の勢いをなくし、木の葉は色づきはじめている。

妻ほど身近ではなく、しかし金銭とは無関係に、必ず自分を受け入れてくれると確信が持てる相手といったら、それは恋愛関係にある女性ではないか。木暮が恋をし、相手も木暮に恋してくれれば、必然的にセックスできる。

とは言うものの、いまから探すのは骨が折れる。出会い、口説《くど》き、死を目前にしてセックスを誘っても断られないほど相思相愛になるまでに、いったいどれだけ時間がかかるだろう。そんな悠長《ゆうちょう》なことをしているうちに死んでしまう。だいたい、七十を過ぎた男と本気で恋に落ちてくれる女は、地球上に何人いるのか。

腹が立ってきた。何十年も勤勉に働き、小さないざこざはあれどもそれなりに円満に家庭を運営し、逼迫《ひっぱく》した経済状態ではないにもかかわらず、犬猫でもやっていることがままならないとは。これではなんのために生きてきたのか、わからないではないか。

いや、捨《す》て鉢《ばち》になるのはまだ早い。立腹と同時に空腹も覚えたので、木暮は気を取り直し、駅前の商店街まで惣菜《そうざい》を買いにでかけることにした。週に何度か、妻がおかずをタッパーに詰めて様子を見にきてくれるが、ほとんどの食事は惣菜で済ませていた。スーパーにはたくさんの種類が用意されているから、料理ができなくても不都合はない。喜び勇むジョンに引き綱をつけると、木暮はアパートの敷地から出た。町を歩けば、いい出会いがあるかもしれない。

木暮荘は全部で六室あり、埋まっているのは木暮の部屋を含めて四室だった。

隣室の入居者は女子大生で、壁が薄いから電話の声は筒抜けだ。

「マジでぇ？　ていうかそれ、超やばいって。イダっちマジ卑怯《ひきよう》くね？」

なにを言っているのかさっぱりわからぬ。「卑怯くね」というのはもしや、「卑怯ではないか」という意味なのか。木暮が頭を悩ませるうちに女子大生は通話を終え、あとはテレビの音が延々聞こえる。真夜中を過ぎても聞こえる。どうやらつけっぱなしで寝てしまったらしい。親の仕送りで生活しているのだろうに、電気代を無駄にするのはいかがなものか。

いくら大家といえども、勝手に部屋に入ってテレビや電気を消してまわるわけにもいかない。木暮は悶々《もんもん》と気を揉《も》むばかりだ。そんな木暮の心配と気づかいを知らず、女子大生はアパートの外廊下で顔を合わせても挨拶《あいさつ》すらせず、交際相手を頻繁《ひんぱん》に部屋に引き入れる。親の顔を見たいものだ。だいたい、年ごろの娘をこんな古いアパートの一階に入居させ、あとは訪ねてくるでもなく好きにさせているとは、どういう了見なのか。学業はどうした、と役に立たぬ親にかわって怒鳴りこみたいのをこらえ、壁の向こうで上がる妙に甘ったるい声を聞く。おさかんだ。木暮の下半身は萌《きざ》すことなく沈黙を守っているというのに。

木暮の部屋の真上には、会社員の男が住んでいる。この男がまた、挨拶をしない。ゴミの出しかたもなっていない。俺が上司だったらおまえのような無能は即刻左遷《させん》してやるのだがと、カラスに食い荒らされたゴミ置き場を掃除しながら、木暮は呪《のろ》う。

少しましなのは、二階の端に住む坂田《さかた》という女性だ。学生時代からずっと木暮荘に住んでいるので、木暮もさすがに名前を覚えていた。妻からの情報によると、家賃の振込を滞《とどこお》らせたことは一回もないそうだ。挨拶もするし、休日には庭でジョンの遊び相手になってくれもする。嫁に行く気配もなく、休日に他人の飼い犬と遊ぶしかない生活というのはやや問題だが、気だてはよさそうなので木暮もたまに会話を交わす。

たとえばこういう子に恋をして、口説いてセックスに持ちこめばいいのだな、と考えてみる。不躾《ぶしつけ》にならぬ程度に、坂田の脳天から爪先《つまさき》まで視線を走らせてみたりもする。しかしどうにも駄目だ。木暮の好みではない。好みを云々できる身ではないとわかってはいるが、それにしても坂田は細すぎる。木暮はトランジスタグラマーを好む。「あんたの友人にトランジスタグラマーがいたら紹介してくれんか」と、人当たりがよく優しげな坂田に頼みたかったが、もしかしてトランジスタグラマーという言葉は死語かもしれぬと思うと、切りだせなかった。

一人暮らしをはじめて半年も経《た》つころには、木暮は諦《あきら》めかけていた。出会いの手段がない。セックスへの道が拓《ひら》けない。

スーパーの行き帰りに、道行く女性をさりげなく観察した。声をかける隙《すき》がない。みんなどんどん歩いていってしまう。

本屋に寄って、恥を忍んでいかがわしい棚《たな》のまえを何度も往復した。もう綺麗事《きれいごと》を言っている場合ではないから、昨今の風俗情報がわかるような本か雑誌があれば欲しい、と思ったためだ。結局、勇気と知識がたりず、どれを選べばいいのかすらわからないまま、すごすご帰った。おとなしくつながれて本屋のまえで待っていたジョンは、木暮の消沈に気づいたのか、元気づけるように一回吠《ほ》えた。

情報を入手できないなら、実際に行ってみるまでだ。日が暮れるのを待って、小田《おだ》急線《きゅうせん》に乗り新宿《しんじゅく》へ出た。新宿といえば歌舞伎町《かぶきちょう》だろう。会社勤めをしているときに、さすがに同僚と飲みにきたことはあった。そういえば何年かまえに、妻と芝居を見にきたこともあったなと思いながら、コマ劇場の裏にまわる。早足で通りすぎて大通りへ戻った。駄目だ。なにがなにやらわからない。どの店でもぼったくられそうな気がする。「こんなじじいになっても、まだ女が欲しいもんなんだぁ」と、店の子にあきれられ憐《あわ》れまれそうな気がする。

いくつになっても性欲が衰えぬのは男の勲章《くんしょう》だが、その性欲を風俗で発散させていると受け取られるのは屈辱だ。若い妻や愛人に挑んでこそ、老年男性の性欲は称賛される。世の中ではそういうことになっているように、木暮には思える。若い妻を娶《めと》ったり愛人を囲ったりするほどの魅力も財力もないが、セックスはしたい老年男性はどうすればいいのだ。歯ぎしりしたい気分だが、入れ歯ではうまく力が入らない。

どうしていい年をして、童貞の捨て場を求めてさすらうような真似をせねばならないのか。だいいち、こういうときに助言を請《こ》える友の一人もいないというのは、どういうことなのか。部屋に帰った木暮は、なさけなさに泣きたくなった。なんのために生きてきたのだ、とまた思った。さびしかった。

一人暮らしは気楽でいい。惣菜も電子レンジも全自動洗濯機もある。すぐ近所には妻も娘も孫もいる。しかしまったくべつの部分で、木暮はさびしいのだった。求めていることがあるのに、求めたい相手も、求めてくれる相手もいない。そのさびしさについて率直に語りあい、「そんなことでくよくよするな」と笑って肩を叩《たた》いてくれる友人もいない。唯一、友人だったはずの後藤は、人生の終盤においては互いに疎遠なまま、木暮に「セックス」という難題を遺《のこ》して逝《い》ってしまった。

これがツケなのかもしれない。六畳間で卓袱台《ちゃぶだい》に向かって正座し、木暮は惣菜をつまみにビールを傾けた。いまこうして、悩みを打ち明けられる友もなく、物理的な距離は近いにもかかわらず家族から遠い場所で一人座っているからには、なにかのツケがまわってきたということなのかもしれない。

思えば木暮は、本当にだれかを、なにかを、求めたことなどこれまで一度もなかったのだった。親の意見を聞きながら会社を決め、見合いで結婚し、結婚したからには当然のなりゆきだろうと子どもを作り、妻子を養うためにひたすら働いた。悪いことはひとつもしていない。だが、だれかに自分の心を伝える必要を感じたことも一度もない。その怠慢《たいまん》のツケが、「セックスしたいときに相手はなし」という形で襲いかかってきたのだと、布団に入った木暮は暗い天井を見上げて考える。

木暮の知る多くのひとが、木暮と同じような生きかたをしていた。少なくとも、木暮にはそう見えた。だとすると、かれらも木暮と同じむなしさを、年を取ったいま感じているのかもしれない。ずいぶん残酷だと思った。まちがったことはなにもしていないにもかかわらず、結局は一人になり、だれとも触れあえず結びあえず死を待たなければならないとは。

いや、「まちがったことはなにもしていない」という思い上がり、その消極性、自己批判の欠如《けつじょ》こそが、大いなる過《あやま》ちだったのか。求道者《ぐどうしゃ》でも活動家でもないのに、木暮は布団のなかで自身を厳しく問いつめる。しかし日常とは、消極性と自己批判の欠如で成り立つもの、あまり深く考えず流されるうちに過ぎていくものではないのか、という気もする。それをいまさらまちがいだったと言われても、ではどうすればよかったのだ。

隣室からテレビの音がする。階上の男は深夜にもかかわらず洗濯機をまわしはじめた。

最近の若者には常識というものがない。毒づいて目を閉じた。

春もまだ浅いころ、変化があった。木暮にではなく、二階の住人の坂田にだ。いつものようにゴミ置き場の掃除をしていたら、出勤するらしい坂田が外階段を下りてきた。木暮はおやと思った。スーツを着た男も一緒だったからだ。坂田と男は、「おはようございます」と言った。木暮も挨拶を返した。二人は連れだって駅のほうへ歩いていった。おやおや、と木暮は思った。

それからも何回か、男の姿を見かけた。木暮が庭仕事をしていると、二階の窓から坂田の笑い声が聞こえることもあった。窓辺に男が立ち、室内を振り返ってなにか言っていた。再び庭のほうに向き直った男は、木暮に気づいて目礼を寄越した。

若いひとはいい。出会いがある。臆することなく恋ができる。だれもそれをおかしく思わない。

どちらかというと地味で堅実そうな坂田にも、春がめぐってきたのだろう。よかったよかった、と木暮は内心で祝福した。若者を見守る好々爺然《こうこうや》としていては、セックスの機会など訪れないぞと自分を戒《いまし》めてもみたが、うらやましさやあせりは湧いてこなかった。坂田の相手が、感じのいい男であったためかもしれない。

取り残され、あぶれていく。しかたがない。それが年を取るということだ。

ジョンは楽しそうに庭を掘り返していた。湿って甘い土のにおいが立ちのぼった。

ある日の夕方、惣菜を買って戻ると、坂田の交際相手がアパートの外壁にもたれて立っていた。木暮とジョンが近づいていくと、男は姿勢を正して「こんばんは」と言った。春めいてきたとはいえ、桜の蕾《つぼみ》はほのかに色づいた状態のまま、あたりの様子をうかがっている。朝晩の冷えこみはまだ厳しく、吐く息は白く薄く漂った。

「坂田さんはお留守かい」

木暮がジョンの引き綱をはずしてやりながら問うと、

「そのようです」

と男は言った。男のスーツのポケットから、携帯電話の着信音が聞こえた。男は画面を一瞥《いちべつ》し、なにやらボタンを操作する。

「仕事が長引いているらしいです」

男は携帯をしまうと、「じゃあ」と駅のほうへ歩いていこうとした。

「ああ、ちょっと」

呼び止めたのは、そろそろ話し相手が欲しくなっていたからだ。「帰るのか」

「いえ、喫茶店にでも入って、時間をつぶそうかと」

「それならうちで待てばいい」

遠慮する男を自室の六畳間に座らせ、木暮は台所でほうじ茶をいれた。伊《い》藤《とう》ですと名乗った男と、卓袱台を挟んで黙って茶を飲む。ものの少ない部屋で向かいあう、家族でも上司と部下でもない男二人の姿が、暗い窓ガラスに映っている。

なにを話せばいいのかわからない。しかし、なにを話せばいいのかわからないほど関係の希薄な相手だからこそ、なにを話してもかまわないのではないか、という気もした。沈黙をどうにかしなければと、部屋の主《あるじ》としてのあせりにも後押しされ、木暮は言った。

「恥ずかしながら、セックスしたくてね」

「えっ」

伊藤が湯飲みを取り落としそうになったのは、不穏な単語が老人の口からいきなり出たためでもあるし、部屋に招き入れてくれたのはそういうことだったのかと咄嗟《とっさ》に深読みし、警戒したためでもあるが、木暮は伊藤の動揺には気づかなかった。「いかにセックスするか」を考えることで、一人暮らしの時間の大半を費《つい》やしてきたのだ。やっと現れた相談相手候補の伊藤に対して、表現を選んだり躊躇《ちゅうちょ》したりする暇《ひま》はない。

伊藤の内心を忖度《そんたく》せず、木暮は話をつづけた。

「ときにきみは、風俗へ行くか」

「ええっ」

生々《なまなま》しい性への欲求にたじろいだらしく、伊藤の動揺は収まらなかった。湯飲みを指先で弾《はじ》きそうになり、あわてて押さえている。

「いや、俺は行ったことないです」

「一度もか」

「すみません、お役に立てなくて」

「いいんだ」

と木暮は言った。そううまくことが運ぶはずもない。

木暮の落胆を感じ取ったのか、伊藤は茶を一口飲んでから、「あの」と切りだした。

「どの店がいいかとか、そういうことをお知りになりたいんでしょうか」

数カ月にわたる屈託《くったく》と思考のあれこれを、細かく説明するのは骨が折れる。木暮は、

「まあ、そうだな」と答えた。

「いきなり店に入るのは、勇気がいる。人目につくのではとか、こんなじじいが女を買うのかと笑われるのではとか、いろいろとね」

「じゃあ、デリヘルはどうですか」

「でりへる」

「女の子がホテルなどへ出張サービスするんです。たしか、自宅にも来てくれるんじゃなかったかな。同僚に、そういうのに詳《くわ》しいやつがいますから、聞いてみましょうか」

「頼む」

そのときはそれで終わったのだが、木暮はすぐに後悔した。妙な相談など持ちかけなければよかったと思った。伊藤は坂田に、「きみんとこの大家さん、色ボケしてるみたいだぜ」と告げ口するのではないか。二人して木暮を嗤《わら》っているのではないだろうか。

ゴミ置き場で坂田と会っても、木暮は目を合わせられなかった。坂田はこれまでと変わらず、にこやかに挨拶してきた。声には嘲笑《ちょうしょう》も軽蔑《けいべつ》も含まれていない。伊藤は黙っていてくれたようだ。木暮は安心し、坂田と伊藤がうまくいくよう、散歩のついでに近

所の神社で祈願しておいた。

一週間ほどして、会社帰りの伊藤が部屋に立ち寄った。桜がほころびはじめた日のことだ。

「これ、どうぞ」

伊藤は声をひそめ、茶色い書類封筒を卓袱台に載せた。「同僚に頼んで、よさそうなデリヘルの情報をプリントアウトしてもらいました」

封筒のなかには、紙が十数枚入っていた。料金表や女の子の写真などをカラーで印刷したものだ。

「こんなにあるのか」

「氷山の一角だと思いますが」

と伊藤は言い、卓袱台越しに一枚の紙を示した。「同僚によると、この店がいいのではないかということです。その……、高齢者専門のデリヘルで、介護の資格を持ってる女の子もいるとかで」

そんな店があるのかという驚きと、介護ってなんだ、俺を年寄り扱いするなという憤《ふん》慨《がい》と、どちらを露《あら》わにすればいいのか判断に迷い、結局「へぇ」と気の抜けた相槌しか打てなかった。

伊藤は本当にこういう話題を苦手としているらしく、「では」とそそくさと去っていった。重大にして気の重い任務をなんとか成し遂げたという、充実した疲労の色が背中に漂っていた。

木暮は渡された紙を子細に検討した。いわゆる本番行為は御法度《ごはっと》のようだが、自宅に呼ぶのだから、女の子との交渉次第では抜け道はいくらでもありそうに思われた。それに、まずは話し相手としてスタートし、関係を徐々に深めていくのは、木暮が想定していたセックスへの道程に近いのではないかとも思われた。

試してみよう。試さなければ、なにもはじまらない。木暮は心を決めた。

それにしても、高齢者専門のデリヘルとは、すごいものを考えつくひとがいる。需要があるということだ。セックスしたい老人は俺だけではないのだと、心強く感じられる。高齢の女性に向けたサービスも、どこかにあるのだろうか。妻が内緒で若い男を買っていたらと想像し、木暮はなんだかいやな気持ちになった。自分はどうなんだと考え、勝手なものだなと思った。


「はじめましてぇ、ちなつです」

桜が満開になった日の午後四時、時間どおりにやってきたちなつはそう言った。薄手の白いコートを腕にかけ、キャミソールに短めのスカートという恰好《かっこう》だ。むっちりした小柄な体型で、木暮の好みだった。茶色く染めた髪の毛は箒《ほうき》みたいだと思ったが、顔立ちに愛嬌《あいきょう》がある。右耳のうえあたりの髪に、桜の花びらが一枚くっついていた。ちなつ本人は気づいていないようだ。

「ただいまサービス期間中でぇ、チェンジ一回までは無料ですけど、私でよろしかったですかぁ」

ちなつは玄関のドアをきっちり閉めてから、たたきに立ったまま小首をかしげてみせた。伊藤からもらった紙の「女の子紹介」欄には、ちなつは二十三歳だと書かれていた。実際のちなつは、どう見ても三十に近いようだったが、木暮からすれば四十の女でも若いぐらいだ。べつにかまわない。

「むろんだ」

と答えると、ちなつはちょっと笑いをこらえる表情をした。言葉づかいが固すぎただろうか。動悸《どうき》がしてきた。

「お邪魔しまーす」

ちなつは持っていたバッグから、白くてふわふわしたスリッパを出し、それを履《は》いて台所の板の間に上がった。板の間は三歩もあれば横切れる。六畳間との仕切り戸のまえで、すぐにスリッパを脱ぐことになった。どういうしきたりなんだろうと、家のなかで履き物を履く習慣のない木暮は怪訝《けげん》に思った。

「えーと、本日は『おしゃべりコース九十分』でよろしかったですかぁ」

「ああ」

「お支払いはカードでもできますがぁ、現金ということでよろしかったですかぁ」

「ああ」

よろしかったですか、という言いまわしが気になってたまらなかったが、それを指摘すると老人の説教じみるだろうと、木暮は耐えた。ちなつの髪にまだついている、薄い痣《あざ》のような花びらを眺める。

「途中でコース変更する場合はぁ、別途料金がかかりまーす。そうすると含まれてくるのはぁ、手コキ、コンドーム装着のうえでフェ」

ドアの開閉する音がし、隣室の女子大生が帰宅した気配があった。木暮はあわてて、

「いや、まあ、とりあえずそれはいい」

とさえぎった。

「じゃ、その気になったら遠慮なく言ってくださーい」

ちなつはにこにこした。沈黙が落ちる。木暮はポットを引き寄せ、ほうじ茶をいれた。ちなつは「ありがとうございまーす」と言っただけで、手をつけなかった。しかたなく一人で茶をすする。自分の体から石鹸《せっけん》の香りがするのではないかと、居たたまれない。木暮はシャワーを浴び、念のためシャワーブースの掃除もしておいた。ただ話すだけの「おしゃべりコース」を申しこんでおきながら、下心満載だと邪推されそうだ。そうじゃない。ひとと会う礼儀として身ぎれいにし、日課の掃除もしたまでであって……。脳内で言い訳する。ちなつはあいかわらずにこにこしている。

「介護の資格を持っているとか」

「ホームヘルパー二級ですぅ」

「えらいんだね」

つい、孫を褒《ほ》めるようなことを言ってしまった。ちなつは顔のまえで手を振った。

「べつにえらくないですよー。なんか資格があったほうがいっかなぁ、やっぱこれからは介護かなぁなんて、単純なドーキで」

「しかし、資格を活《い》かして仕事をしている。立派なものだ」

「えー？　イかせてはいますけどね、えへへ。オヤジギャグ、えへへ」

いい子だということはわかるのだが、いかんせん会話についていけない。また沈黙が落ちた。

「えーっと、ほんとに遠慮しないでくださいね？　コース変更ばっちＯＫですから」

「いや、いい。その……、気をつかわずに」

悟りが拓けたというか、穏やかな気持ちになってきた。「だれかと話したかったんだ」

「そっか」

ちなつは微笑《ほほえ》んだ。「どういうことを？」

「なんだろう。いろいろと」

「そっか」

ちなつはまた言い、卓袱台のうえで木暮の手をそっと握った。「そういうお客さん、けっこういっぱいいるんですよー」

だから大丈夫、と言いたげな、優しい口調だった。木暮は、乾いた手の甲に触れるぬくもりを感じていた。妻の手を握り、落ち着いて語りあったことなど、もうずいぶんないなと思った。

「そんで、その気になったらコース変更してくださーい」

ノルマでもあるのだろうか。感興が損《そこ》なわれることははなはだしいが、ちなつは使命感と親切心から言ってくれているのかもしれない。木暮はうなずいた。

玄関のチャイムが鳴ったのは、そのときだった。

「あなた、いる?」

「妻だ!」

顔面から血の気が引くのがわかった。ちなつが、「えー」と腰を浮かす。

「どうしますぅ? 押入にでも隠れましょうかー」

「いや、すまないが窓からちょっと庭へ出て……」

などと言いあううちに、ドアが開く音がした。たたきにある女物の靴に気づいたのか、

「あら、お客さま?」

と不審そうな声がする。木暮は台所との仕切り戸を引き開け、白いスリッパを光速でつかんで六畳間のちなつへ投げた。ちなつがスリッパをバッグにしまうのと、靴を脱いだ妻が顔を上げたのとがほぼ同時だった。

「ああ、どうした急に」

と、精一杯の威厳を保って木暮は言った。

「おかずを持ってきたんですよ」

妻は紙袋からタッパーを取りだした。なぜこういうときにかぎって、連日おかずを持ってくる。残り少なくなった髪を掻《か》きむしりたい思いにかられたが、なんとかこらえて、木暮は仕切り戸のそばに陣取ったままでいた。妻を六畳間に踏み入らせるわけには、断じていかない。

しかしもちろん、妻はあっさりと、

「どなたかいらしてるの？」

と木暮を押しのけて六畳間を覗《のぞ》いた。

「こんにちはー」

いつのまにかコートを羽織ったちなつが、妻に向かって会釈《えしゃく》した。いま来て、ちょっと部屋に上がっただけ、という風情だ。卓袱台からは、ちなつのぶんの湯飲みが消えていた。どこへやった？　木暮は室内に視線を走らせる。

「この隣《となり》に住んでるんですけどぉ、相談に寄らせてもらったんでーす」

「あら、いつもありがとうございます。こんな古いアパートで、なにかとご不便でしょう」

妻は「大家の妻」として頭を下げたが、木暮が木暮荘の大家だと知らないちなつは、きょとんとしている。どう取り繕《つくろ》ったものかと木暮が思案するうち、妻はさっさと話を進めた。

「それで、相談って？　どうかなさったの」

タッパーを膝《ひざ》に載せ、畳に正座した妻は、腰を据《す》えて店子《たなこ》の訴えを聞く構えだ。

「えーっと、なんかぁ、部屋のポストによく変な手紙が入ってるんですよー。昔つきあってた男だと思うんですけど、キモくってぇ。そんで、あやしい人影とか見なかったかなーと思って」

うまい。なんとうまい咄嗟の言い逃れだ。木暮は感動した。

「まあ、ストーカーじゃない」

妻もすっかりだまされ、心配そうに眉《まゆ》を寄せている。「あなた、不審者がいないか、ちゃんと見ていてくれないと困りますよ」

「うん、これからは気をつけておく」

木暮はもっともらしく請けあった。ちなつがバッグをつかみ、

「じゃ、あたしはこれで。失礼しまーす」

と立ちあがった。妻はわざわざ玄関先までついていき、ちなつが隣の部屋へ入るのを見守ろうとする。おいおい、なにもそこまで、と木暮は思ったが、口に出すことはできない。ちなつに慈愛の眼差《まなざ》しを送る妻の脇から顔を覗かせ、すがる思いでちなつの動向をうかがう。

ちなつはちょっと振り返り、木暮と妻が自分を見ているのを知って困惑したようだっ

たが、「ままよ」とばかりに隣の部屋のドアに手をかけた。幸いなことに、隣室の住人は玄関の鍵《かぎ》をかけていなかったらしい。ドアは開き、ちなつはなかに入っていった。女子大生の短い悲鳴が聞こえた気がする。あたりまえだ。部屋に突然、見知らぬ女が入ってきたら、だれでも悲鳴を上げる。しかし、かまってはいられない。ちなつがうまく事態を収めてくれるよう祈りつつ、木暮は半《なか》ば強引に妻の腕を引いて、自室の玄関を閉めた。

冷や汗と脂汗《あぶらあせ》でひそかに全身をぬるぬるにしながら、木暮は妻と六畳間に落ち着いた。

「でもあなた、若い女の子を部屋に入れるのは、よくないですよ」

と妻は言った。

「ああ」

隣室で乱闘の気配でもあったらどうしようと、木暮は上《うわ》の空《そら》で答えた。「だが、ほら、孫みたいな年の娘さんだし」

「それでも、男と女なんですから」

意外に思い、妻を見た。妻は穏やかな表情で座っている。だがその目は、木暮の全身と同じく、ひさかたぶりのぬめりを宿しているのだった。

妻は勘づいているのかもしれない。

木暮は唾《つば》をのみくだした。ちなつと向きあったときとはべつの動悸と緊張が体内に満ちた。

「俺は男かな」

「そりゃあそうでしょう。なに言ってるんですか」

「うん、いや……」

「そういえば昨日、柚希《ゆずき》が交際相手をうちに連れてきたんですよ。まだ中学生なのに、早いわよねえ」

楽しげに孫の話をする妻に、セックスのことなど切りだせなかった。三十分ほど一方的にしゃべった妻は、満足したのか家に帰っていった。

「じゃ、ちゃんと食べてくださいね。なにかあったら電話して」

「ああ」

妻を見送りながら、切りだしたかったのはセックスの話ではないのだと思った。もちろん性愛も絡《から》んではいるが、もっと大切なことを話したい。だが、いつ家に戻ってくるのかと問われもしないからには、話すまえから答えは明白だと言えるだろう。

俺はだれかに求められたい。

木暮は卓袱台に向かって座りこんだ。桜の花びらが卓袱台の隅に落ちている。ちなつの髪についていたものかもしれない。紙よりも薄い花びらを乾いた指先でつまみ、唇に軽く当てた。プープーと吹き鳴らす。花びらの笛。子どものころ、よくこうして遊んだ。

三、四回も吹くと、花びらは空気の振動に耐えきれず二つに裂けた。ゴミ箱まで移動するわずかな距離が億劫《おっくう》で、木暮は裂けた花びらを口に入れ、冷めた茶とともに胃に収めた。

薄闇に覆《おお》われはじめた庭でジョンが鳴いた。窓辺を見やると、ちなつと隣室の女子大生が庭に立ち、こちらに手を振っている。あわてて立ちあがり、窓を開ける。

「じいさん、やるじゃん」

と、女子大生はにやにやした。

「すみませーん、部屋に入れてもらうために、事情を全部話しちゃいましたぁ。お客さん、大家さんだったんですねー」

と、ちなつは言った。『おしゃべりコース』、あと三十分ぐらい残ってますけど、どうしますぅ？」

「もういいんだ。すまなかった」

木暮は九十分ぶんの代金をちなつに支払った。ちなつは「はい、これ」と、バッグから湯飲みを取りだした。

「お客さんの家で、出されたものを飲んだのはじめてですよー。もうあせって、熱いの一気に飲み干しちゃったぁ。あたし猫舌なのにぃ」

「すまなかった」

と木暮はもう一度言った。

「じゃ、よかったらまた電話してくださいねー。今度は奥さんが来ない日に」

ちなつは人懐《ひとなつ》こく笑い、ジョンを一撫でするとと庭から通りへ出ていった。

「ねえ、じいさん」

と女子大生が言った。

「まだいたのか」

「なによう、あたしのおかげで、奥さんに浮気がばれずにすんだんじゃん」

「まあそうだが」

女子大生は掃きだし窓に腰かけた。サンダルをつっかけた足をぶらぶら揺らす。ジョンが興味深そうに鼻を寄せる。なんだか疲れが出て、木暮も女子大生の斜め後方に正座した。木暮の部屋からも、女子大生の部屋からも、四角く切り取られた光がこぼれている。そこだけが明るい。二人してもっと奥、暗い庭を眺める。花のにおいを含んだ春の土は、綿《わた》のような重さと温度を宿している。

「どうしてさあ、『おしゃべりコース』にしたの？」

返答に困っていると、

「やりたきゃやりたいって言えばいいじゃん」

と女子大生は言った。

「言っていいものだろうか」

「いいんじゃない？」

「やりたい」

木暮は魂の底から言った。「俺はセックスしたい。拒まれたくない。求められたい」

「みんなそんなもんだよ」

女子大生は言った。木暮が期待に満ちて女子大生を見ると、女子大生はあわてたように首を振った。

「あ、でもあたしはダメだよ？　彼氏いるし、じいさんとは今日はじめて話したんだから」

「そうか」

がっかりした。だが、「じじいだからダメ」と言われなかったのでうれしかった。

「ま、わざわざ『おしゃべりコース』なんて頼まないでさ、しゃべるんなら、あたしとでもいいわけじゃん。ご近所なんだし、お金もいらないしさ」

女子大生はほがらかに言い、「じゃあね」と立ちあがって、隣室の窓から部屋へ入っていった。庭に脱ぎ散らかされたサンダルを、ジョンが嗅《か》いだ。

名前を聞き忘れたな、と木暮は思った。家賃は振込なうえに、通帳の管理も妻に任せっぱなしなので、木暮は店子のことをろくに知らない。

窓を閉め、冷凍しておいたご飯を電子レンジにかけて、妻が持ってきてくれた肉じゃがをおかずに食べた。隣室からはいつもどおり、馬鹿騒ぎを繰《く》り広げるテレビの音が聞こえてくる。

その夜、布団のなかで木暮の性器は力を持った。おお、と木暮は思った。回春という単語が脳裏《のうり》をよぎった。めぐりくる春。いい言葉だ。なにが契機となったのか謎であるし、放出に至るまで持続はしなかったが、木暮は久々の感覚を得て喜びに震えた。

それからも木暮の日常は変わらなかった。

ジョンとともに惣菜を買いに行き、ゴミ置き場を掃除し、おかずを持ってくる妻から孫の話を聞いた。

たまに、隣室の女子大生と庭を眺めながらしゃべるようになったのが、唯一の小さな変化だ。「それが超空気読まないやつでさあ」などと言うので、あまり話は通じない。空気を読む人間などいるのか。気象予報士か。だが、まあいいかと思って、おとなしく女子大生の話に耳を傾けている。

夏ごろには、二階の坂田のところに伊藤ではない男が現れ、ごたごたがあったようだった。おさかんだ。若いひとは前向きな変化があるからいい。木暮ぐらいの年になると、人数が減ることはあっても、増えることなどない。三人でなにやら喧嘩している坂田たちを、木暮は文句も言わず見守った。

夕方になっても熱気は衰えず、木暮と女子大生は掃きだし窓に座ってアイスキャンディーを食べた。木暮の部屋の窓辺に吊《つる》した風鈴が、夏の風に吹かれて気《け》だるく鳴った。真っ赤に染まった空の一角に、灰色の雲が刷《は》いたように流れる。

ジョンはいない。伊藤ではないほうの男が、快《こころよ》く散歩に連れていってくれた。ぼさぼさの髪に真っ黒な目をした、風来坊みたいな男だ。坂田とどういう関係なのかは聞かなかった。いずれ、あの雲と同じくどこかへ流れていくのだろうと、見るものに予感させる風体《ふうてい》だった。

「ちょっといい男だよね」

と、女子大生は言った。

「そうか？」

「やだー、じいさんったら、ジェラってる？」

女子大生は笑って木暮の肩を叩き、溶けかけたアイスキャンディーをしゃぶった。あいかわらず、なにを言っているのかわからない。しかしもしかしたら、こういう日々、こういうやりとりこそが、死を目前にした後藤が望んでいたものの本質なのかもしれない。

なにごともなく、けれど家族でも友人でも同僚でも恋人でもないひとと、しゃべって笑って関係を築いていく日常。

腕まで伝ったアイスを、女子大生が舌で追いかける。そのさまをぼんやり眺め、ああ、セックスしたい。

木暮は俄然と、猛然と、燃えさかるようにたぎるように思った。

その思いがかなうことはなさそうだったが、なぜか心は凪《な》いでもいた。そんな自分が不思議だった。

死ぬまで、死んでも、永遠に解くことのできない、ひとの不思議だと思った。

柱の実り

その柱に奇妙な突起があることに気づいたのは、そろそろ桜も終わる時期だった。小田急《おだきゅう》線の世田谷代田《せたがやだいた》駅は、いつもどこかのどかなムードだ。朝のラッシュの時間帯にも、ホームはそれほど混みあわない。各駅停車に乗ったまま新宿《しんじゅく》まで行っても、十五分弱だ。住んでいる場所によっては、井《い》の頭《かしら》線の新代田《しんだいた》駅まで歩くひともいるし、気分を変えるために少し早起きして、下北沢《しもきたざわ》まで歩くこともできる。利便性の高さと選択肢の多様さが、駅を利用する住民の態度に余裕をもたらしている。

以前はもっと、都心から遠い駅に住んでいた。そのころの朝のホームは戦場だった。いかにいい立ち位置で電車を待つか。がっついていると思われぬ身のこなしで、いかに要領よく車内にすべりこむか。どこの席が途中で空《あ》くか。空かないとして、どの吊革《つりかわ》につかまれば、おじさんの鼻息にさらされず体重を預けきった女子高生を背負わずに、快適に通勤電車の四十分間をやり過ごせるか。新たにはじまる一日の吉凶を占うように、だれもが真剣かつ殺気立った目でホームに集結したものだ。

家賃は二倍になったけれど、引っ越してよかったと峰岸《みねぎし》美禰《みね》は思う。網棚《あみだな》に寝そべって運ばれたいと思うほどのストレスから解放され、少し余分に朝寝ができるようになった。

世田谷代田は古くからの住宅街なので、郊外の新興住宅地に比べて緑も多い。休日は近所を散歩するようになって、ここのところすこぶる健康的だ。歩くうちに、気になる建物も見つけた。おいしそうなお惣菜《そうざい》屋さんや、おしゃれなカフェではない。いまにも崩れそうな木造二階建てのアパートだ。

「木暮荘《こぐれそう》」と、錆《さ》びた外階段にプレートがくくりつけてある。

防犯もなにもあったものではないアパートなのに、驚くべきことに入居者がいるようだ。窓辺にアロエの鉢《はち》植えが飾られていたり、老人が庭の草を刈ったりしている。

そう、美禰が木暮荘に惹《ひ》かれる一番の理由は、広々とした庭だった。

アパートの住人は、たぶんガーデニングという言葉など意識したこともないのだろう。生け垣がわりの雑木《ぞうき》が奔放《ほんぽう》に枝を張りめぐらし、雑草もいきいきとはびこっている。その合間に、だれが植えたのやらチューリップや水仙や野ばらが、息も絶え絶えといった感じで季節に応じて花を咲かせる。

中途半端に鉢植えの花を並べた玄関先よりも、よっぽど見ていて飽《あ》きない。

木暮荘の庭には、植物のほかにも住人がいる。灰色の中型犬で、雑種らしい。片足を上げてさざんかの木におしっこを引っかけているのを目撃したことがあるから、オスなのだろう。この犬がまた、近来まれに見るほど薄汚れている。服を着せたりリボンをつけたり、飼い犬をかわいがることにかけては狂的な情熱を傾ける美禰の顧客が見たら、卒倒してしまいそうな姿だ。

ああ、洗いたい。あの犬をシャンプーしてやりたい。

木暮荘の庭を通りがかりにこっそり覗《のぞ》くたび、美禰は犬が気になって気になってたまらない。

犬は自身が薄汚れていようがいまいが、たいして気にもしていないようだ。散る花びらを追ったり、後ろ足で耳の裏を掻《か》いたりと、幸せそうに庭で過ごしている。美禰と目が合っても、むやみに吠《ほ》えかかったりしない。ちょっと尻尾《しっぽ》を振ってみせ、すぐに草むらを掘り返す作業をつづける。

たぶん、あの犬の飼い主は、と美禰は考える。犬を洗うってことを思いつかないだけなんだ。餌《えさ》を充分にやって、散歩もたっぷりしていることは、毛艶《けづや》と穏《おだ》やかな目を見ればわかる。かわいがられて育った犬だ。

ああ、だからこそシャンプーしたい。シャンプーしたら、あの犬はどれだけ輝くだろうか。

そんなこんなで悶々《もんもん》とすることはありつつも、一年ほど世田谷代田での暮らしを満喫していたある日。駅の上りホームの柱に、奇妙な突起を見つけたのだった。

美禰は毎朝、ホームのうしろのほうに立って電車を待つ。

世田谷代田駅がのんびりしたムードなのは、駅舎が古くてこぢんまりしているためもあるだろう。上下の線路を挟んで、ホームは向かいあっている。地面からの距離はとても近い。庇《ひさし》みたいな屋根が、電車を待つひとを申し訳程度に雨や日射《ひざ》しから守る。

ホームの背後は壁になっていて、ポスターを貼る掲示板として利用されている。茶色いペンキで塗られた腰板は、山奥の分校みたいな懐《なつ》かしさだ。壁際にはところどころ、箱形の木製ベンチも据《す》えられている。多くのひとを憩《いこ》わせてきたベンチは、長い年月を経てつやつやと飴色《あめいろ》に光る。

美禰は代々木上原《よよぎうえはら》までしか乗車しないので、座席を確保するために我先《われさき》に電車へ乗りこむ必要がない。ホーム後方の壁際に、列から離れて立っている。電車を待ちながら、うしろ手にホームの柱を触るのが、なんとなくの習慣だ。木の柱は日によって、湿度や温度を少しずつ変える。それを確認するのが楽しいし、ほっとする。

その日も美禰は指先で柱を撫《な》でていたが、腰ぐらいの位置に小さな出っ張りがあることに気づき、あわてて手をひっこめた。だれかがガムでも貼りつけたのかと思ったからだ。

振り向いて柱を確認する。柱は壁の腰板と同じく、茶色く塗ってある。出っ張りの正体は、水色のなにかだった。噛《か》んだガムを貼ったようにも見えるが、質感はもっと乾いているし、色合いも透明でグミかゼリーに近い。

腰をかがめ、顔を近づけた。なんなのだか、よくわからない。おそるおそる、爪《つめ》のさきでつついてみた。表面は硬いが、内部は弾力があるようだ。砂糖でコーティングされた、どぎつい色をした寒天質の和菓子風駄菓子。ちょうど、そんな感じの触り心地だった。

なんだろ、これ。首をひねるうちに電車が来て、その日はそれまでになった。

美禰はトリマーだ。代々木上原から歩いて八分ほどの距離にある、住宅街のなかの犬の美容院に勤めている。けっこう高収入の家庭や一人暮らしの女性が多い町なので、需要が高い。ペットを家族の一員と考える人々は、半月から一月《ひとつき》に一度の頻度《ひんど》で、犬をトリミングに連れてくる。

半月に一度。美禰が前回、美容院（人間用）に行ったのは半年前だ。仕事が忙しく、自分の髪の手入れまではなかなか気がまわらない。ありがたいことではあるが、犬に負けているとも思う。

「トリミングハウス　プティ・キャン」の主《あるじ》は、中井《なかい》さんだ。四十代後半の中井さんは、この道二十年以上のベテランで、美禰はひそかに「女ムツゴロウ」と呼んでいる。どんなに気難しく躾《しつけ》がなっていない犬相手でも、「はいはいはい、いい子ねー。肛門腺《こうもんせん》絞《しぼ》りますよー、はい、ピュッ」と、魔法のように手なずけてしまうからだ。

従業員は、美禰ともう一人、二十三歳の土田《つちだ》くんだ。男性のトリマーと一緒に仕事をしたことがなく、美禰は土田くんが入店すると聞いたとき、ほのかに期待を抱いたのだが、期待はいつだってはかなく崩れ去るものだ。そのたびに美禰は、自分を戒《いまし》める。

浮かれたことを望むなんて、どうかしている。思い出せ。忘れるな。私はなにかを望むに値《あたい》する存在か？

土田くんは動作がスローモーで、なまけものの大型犬よりまだのんびりしている。見習いとはいえ、なんでこんなのを雇ったのかと、中井さんをちょっと恨《うら》んだ。だいたい五つも年下だと、男なんて子どもも同然だ。子どもと比べてタチが悪いのは、

「美禰さん、美禰さん。俺、昨日ネット見てたら、なんと！　伊勢原《いせはら》に、『プティ・キャン』ってヘルスがあるのを見つけちゃったっすよ。今度行ってみよっかなー」

などと言うところだ。

「行けば」

と冷たく答えても、トリミング中のゴールデンレトリーバーと同じアホ面《づら》をさらして笑っている。

美禰は高校を卒業してから、トリミングの専門学校に通った。トリマーになったのは、「動物が好きだから」と周囲のひとには言ってある。嘘《うそ》ではないけれど、まるっきり本当でもない。

中井さんの店で修業しはじめたのは、まだ専門学校生だったころだから、もう十年近くまえだ。十年のあいだに、犬のトリミングはずいぶん一般的になった。さまざまな流行の犬種が登場してはどこかへ消えていった。

ここ何年かは小型犬ブームで、「プティ・キャン」の一角で売っている犬の服や靴

（犬なのに靴！）も人気だ。ドッグフードもオーガニックが謳《うた》われている。猫かわいがりされた犬のなかには、わがままなものも多い。飼い主の姿が見えなくなったとたん、トリミング台のうえで大暴れする。不安にかられて、ではなく、我慢がきかないのだ。甘やかしすぎがよくないのは、ひとの子も犬も同じだ。

それでも美禰は、犬とは愛らしい生き物だと思う。猫やペリカンとちがって、主人がいないと生きていけない。支配し、世話をしてくれる存在がないと、自分の立ち位置がわからなくなる。そういうところも人間と同じだ。社会性の泥沼に首まではまって生きるしかない動物。

小型犬は愛玩《あいがん》されることが主な役割だから、生きるうえではなかなか不便なつくりをしている。放っておくと毛がのびまくり、目や耳の穴や足の裏を覆《おお》ってしまう。室内飼いの場合は、インドの修行僧みたいに爪がのびる。カールするほどのびた爪を、

「なんか変なできものができちゃったんですけど」

と表現した飼い主もいた。できものができたと思ったのなら、なぜ獣医のところに連れていかないのか。かわいいペットであるならば、日々のびゆく爪を観察するぐらいしてやるべきではないのか。美禰はいろいろ言いたいことがあったが、中井さんは慣れたものだ。

「はいはいはい、これは爪ねー。ちょーっとのびちゃったねー、よしよしー」

と、犬をあやしつつニッパーで爪切りした。ちょっと血が出た（犬の爪には血管が通

っている)。驚いた犬が中井さんの腕に噛みついたのだが、

「はいはいはい、だいじょぶですよー」

と、犬の爪と自分の腕に同じ血止め薬を塗って、平然としていた。

肛門腺から、悪臭を放つ分泌物《ぶんぴつぶつ》を排出できないのも、小型犬の特徴だ。臭《にお》い袋《ぶくろ》のなかに、膿《うみ》のように溜《た》めこんでしまう。まったく世話が焼ける。これを絞りだすにはちょっとしたコツが必要で、土田くんはよく、悪臭ふんぷんたる分泌物を顔に浴びて悲鳴を上げている。

トリマーの仕事は、犬をシャンプーして毛をカットするだけではない。犬とコミュニケートしながら、耳掃除をしたり余分な耳毛を抜いたり爪を切ったり肛門腺を絞ったりする。噛まれたり、おもらしされたりするのはしょっちゅうだ。「プティ・キャン」では大型犬も受け付けているし、顧客の家に出張もする。ボルゾイなんて牛みたいに巨大な犬だから、シャンプーするだけでも大仕事だ。ドッグ・ショーに出る犬を、細心の注意を払ってトリミングすることもある。

体力も精神力も使いはたし、疲れきって帰宅する。店休日は毎週火曜なので、友だちとも休みが合わず、あまり遊べない。一人暮らしをはじめてから、家族とは一度も会っていないし、電話もしていない。

ワンルームの壁には、引きのばした写真を額に入れて飾ってある。青黒い夜の海の写真だ。海中から見上げるアングルで、空にはふやけた白い月が浮かんでいる。波は静

か。

美禰は犬の体温にばかり触れて暮らす。

妙な突起物は徐々に大きさを増した。立体感が出てきて、柱に対して垂直に、三角の笠《かさ》のようなものが生《は》えている形だ。

新種のキノコだろうか？

美禰は注意深く、毎朝観察しつづけた。不思議なのは、通勤客のだれ一人として、得体の知れぬ水色の突起物に気づいていないらしいことだ。たしかに、隅っこの柱だし、微妙にひとの視線からはずれた位置にある。だが、こんなに無関心なのは予想外だった。

関心を抱いているのは、私だけ。美禰はちょっとうれしかった。謎のキノコ（なのかどうか謎だが）を見守らなければと、おおいに使命感が湧いてきた。

かといって、具体的になにか行動に移すわけではない。ただ見守るだけだ。駅の柱に勝手に囲いはできないし、だいたいキノコは、なんらかの防護を施《ほどこ》すのが難しい位置と角度で生えている。子どもがいたずらでもして、へし折ってしまったらと気が気でなかった。朝、水色のキノコが無事な姿で柱にへばりついているのを見ると、安心した。

しかしそのうち、美禰の内心にべつの心配が芽生えた。キノコはどんどん大きくなっているのに、だれも柱に視線を向けないなんて、やっぱり変だ。もしかして、美禰にだけ見えるキノコなのではないか。仕事が忙しすぎて、視神経か自律神経かに異常をきたしているという可能性はないか。

梅雨《つゆ》に入ると、キノコの生育ぶりは顕著になった。笠が持ちあがり、水色の茎《くき》が現れた。ある朝、キノコを目にした美禰は、濡《ぬ》れた傘を巻こうとしていた手を止め、思わず低くつぶやいた。

「こ、これは……！」

柱からそそり立つキノコは、いつのまにか男根そっくりの形状に育っていたのだった。いかなる生物も水色の男根は持ち得ないだろうから、プラスチック製のおとなのオモチャそっくりの形状、と言ったほうが適切か。

美禰は動揺し、そっとあたりをうかがった。柱と、そこから生成したものに、あいかわらず注目するものはだれもいない。

幻覚か？　美禰は唾《つば》をのみ、まばたきを繰《く》り返した。男根（に酷似したキノコ？）はやはり、雄々《おお》しき角度と張りと長さ太さをもって、柱から生えている。思いきって、傘のさきでつついてみた（素手で触れるのは、さすがにためらわれた）。男根はわずかに震えたが、すぐになにごともなかったかのように静止した。

ぎゃー。美禰は急にいたたまれぬ気分に陥《おちい》った。恥ずかしく、腹立たしい。露出狂に遭遇したときと似た気持ちだ。恥ずかしいものを陳列しているひとを見て、なぜかこちらが恥ずかしくなる。なぜ私が恥ずかしさを感じねばならないのだと憤《いきどお》りを覚える。あれと同じだ。

しかし柱の男根をまえにして、露出狂に対するのとは異なる気持ちもひとつ生まれた。「こうしてはいられない、隠さねば」という思いだ。それはよくよく吟味《ぎんみ》するに、水色の男根への心配、困惑、思いやりの念であるようだった。露出狂が露出するものにはなんの思い入れもないが、柱に生えた男根は、それが男根状であると気づくよりずっと以前から、美禰がひそかに生育を見守りつづけてきたものだ。いわば、いとこの子どもぐらいの距離にある存在なのであって、いとこの子どもが男根を露出して表を歩いていたら、心配、困惑、思いやりの念のもと、「こうしてはいられない、隠さねば」と反射的に考えるのは至極《しごく》当然と言えよう。

美禰はしずしずと背中から柱ににじり寄り、スカートをつまんで広げるようにして、さりげなく男根を周囲の視線から遮断《しゃだん》した(スカートが男根に触れることのないよう、注意した)。もちろん、そんなことをしなくても、柱を見るものはだれもいなかったのだが。

これだけ柱から突出していれば、だれか気づくだろう。気づいて、駅員に苦情を言うか、好奇心いっぱいの子どもが今度こそへし折るはずだ。

美禰の願いもむなしく、男根は毎朝屹立《きつりつ》していた。雨の日がつづき、靄《もや》に濡れる鉄路に対抗するかのごとく、瑞々《みずみず》しさを増しているようだった。

どうにもお手あげな気分で、美禰はホームに立っていた。数日間、スカートで男根を隠してはみたが、所詮《しょせん》は電車に乗るまでの数分だ。あとの大半の時間、男根はここに堂々と生え、にもかかわらず、だれも気づきもしないのだと思うと、隠してやるのがむなしくなった。

もう、私がへし折ってしまおうか。いらだたしくなり、傘を片手に男根を見下ろしていると、右頬《みぎほお》に視線を感じた。

少し離れた場所に、黒いスーツを着た四十歳ぐらいの男が立っている。飛び抜けて背が高いわけではないが、肩幅と胸板ががっちりしている。顎《あご》も、クルミを殻《から》ごと嚙み砕けそうだ。眉間《みけん》に深い皺《しわ》が刻まれ、渋いを通りこして強面《こわもて》である。

どこがどうとは言えないが、明らかにカタギではないオーラを放っている。ホームにいる人々は、男と目を合わせないよう、みんな線路のほうを向いて動かなかった。男も、自分の存在がまわりに緊張感を与えることは重々わかっているようで、少し居心地悪そうに、列からはずれて静かなたたずまいだ。

いや、周囲を威圧することも忘れるぐらい、気を取られていたのかもしれない。男はズボンのポケットに両手を突っこみ、体重をやや左脚にかけた体勢で、美禰のそばの柱を見ていた。正確に言うと、柱から生えた男根を凝視《ぎょうし》していた。

美禰はそっとその場を離れようとした。あらぬ誤解（どんな誤解なのか、美禰自身にも定かではなかったが、とにかく男根絡《がら》みの誤解だ）を受けたくなかったからだ。

しかし男は、

「お嬢さん」

と声をかけてきた。ちょっとつぶれたような、外見から想像するよりも高いトーンの声だった。

「そいつはいったいなんだ？」

「これが」

と、美禰は覚悟を決めて男根を指した。「見えるんですか」

「見えるもなにも」

男は笑う。「あんたのかい？」

「そんなはずないでしょう！」

美禰は思わず、声を裏返らせて抗議した。「生えてるんですよ、ここに！」

へえ、と男は歩み寄ってきて、男根を間近でしげしげと眺めた。

「本当だ。俺ぁまた、あんたの愛用するオモチャかなんかだと思ったよ」

そんなものを持ち歩き、駅の柱に設置する女は（男も）いない。電車が来たので、美禰は憤然としたまま乗りこんだ。男もついてきて、同じドアから乗車した。

「たまに電車に乗ると、妙なもんと出くわすなあ」

男は旧知の仲であるかのように、平然と会話を続行する。美禰はしかたなく応じた。やっと、あの男根に反応を示すひとが現れたので、視神経や自律神経の問題ではなかったのだと、心強くもあった。

男根状物体の生育過程を美禰が語ると、男は感心したように「ふうむ」とうなった。

「ところでお嬢さん、名前は？」

警戒して答えずにいると、

「前田五郎《まえだごろう》だ」

と男はさきに名乗った。

「峰岸美禰です」

「おお！　俺の飼ってる犬と同じじゃないか」

「え？」

「ミネってんだよ。ミネフジコから取った」

前田はうれしそうに美禰を見ている。飼い犬と同じ名前と言われて、リアクションに困らないひとはいないだろう。代々木上原に着いたので、「じゃあ、ここで」と美禰はそそくさと電車を降りた。

ホームの階段に向かって歩いていると、発車した電車がかたわらを通りすぎていった。車内に立つ前田と目が合った（前田の周囲だけひとがまばらだったので、すぐにわかった）。軽く片手をあげた前田の姿が、午前中ずっと網膜に焼きついていた。

翌日も世田谷代田のホームには男根が生えており、またも前田が現れた。

「よう、みね」

と、前田はいきなり呼び捨てにした。「俺のミネ、見てくれよ」

スーツの胸ポケットから、写真を取りだす。大きな白いモップのようなものが写っていた。どっちがまえだかうしろだかもわからない。フローリングの床にお座りしているらしいが、ヒマラヤの雪男だと言われれば信じるひともいそうである。

「これ……、スタンダード・プードルですよね」

スタンダード・プードルは、町で見かけることの多いトイ・プードルの大型版だ。大人の太股《ふともも》あたりまで体高がある。トイもスタンダードも、縮《ちぢ》れた毛が長くのびるので、ふつうはトリミングする。しかし前田の飼っているミネは、目が隠れるほどもじゃもじゃの毛のままだった。

「プードル?」

前田は首をかしげた。「プードルだかなんだか知らないよ。オヤジからもらったんだ」

「毛をカットしたほうがいいと思います。これじゃ毛玉ができちゃうし」

前田が怪訝《けげん》そうな顔をしたので、美禰はしかたなく、

「私はトリマーなんです。犬の美容師です」

と言った。そして鞄《かばん》から、ちょうど持っていた『世界の犬』という本を出した。土田くんがあまりにも犬種を覚えないので、資料として貸そうと思っていたものだ。

スタンダード・プードルのページを開き、ショー用にカットを施された犬の写真を見せた。前田は一瞥《いちべつ》し、「なんだこりゃ」と言った。

「だめだだめだ。変だろ、こんな、尻尾と足首にボンボンをつけてるみたいな恰好《かっこう》。胴

なんて刈りあげすぎて、地肌が見えてるじゃねえか」

美禰も、プードルはもふもふした毛のままのほうがかわいい、と本心では思っていたので、前田の正直な感想に、めずらしく笑いを漏《も》らしてしまった。

「じゃあ、毛玉になった部分をカットして、目と口まわりとお尻のあたりの毛をちょっと整えるだけでもいいですから。トリミングしてあげれば、犬もさっぱりして喜ぶと思いますよ」

「考えとく」

と前田は言った。「あんたの店はどこにあるんだ」

少し迷ったが、「代々木上原の『プティ・キャン』」と正直に教えた。前田が犬をかわいがっているのはたしかだとわかったからだ。写真のミネは毛むくじゃらだが、真っ白で清潔だった。カメラを向けた前田に対し、全幅の信頼を置いているのが、姿勢と表情(ほとんど毛に隠されてはいたが)からうかがえた。

犬をかわいがる悪人もいる。前田はたぶん、その部類だろう。だが、犬をかわいがらない悪人よりはましだ。トリマーである美禰は、常々そう考えていた。

「なあ、どうしてやつらは、こいつを見て見ぬふりするんだ?」

ミネの写真をポケットにしまい、前田は顎で柱の男根を示した。「こんなにおもしれえもんがあったら、フツーはもっと気にするよな」

「私たちだけにしか、見えてないのかもしれません」

「なんだそれ。なんでだよ」

思い当たることはあったが、黙っていた。

前田は数日後に、「プティ・キャン」に電話をかけてきた。応対したのはたまたま美禰で、前田が律儀《りちぎ》に番号を調べたらしいことに驚いた。

前田は予約した時間きっかりにやってきた。店のまえの通りに黒いレクサスが停《と》まり、スーツを着てやけに幅の広い紫のネクタイをした運転手が、後部座席のドアを開けた。前田とモップ犬ミネが降り立った。

土田くんはすっかりびびっていた。中井さんは人間より犬のほうが気になるひとなので、

「はいはいはい、かわいいワンちゃんねー」

と、ミネの首（であろう部分。毛がすごくて正確に判別できない）を揉《も》み撫でた。ミネは気持ちよさそうにピンク色の舌を出した。

前田はファンシーな色づかいの店内を見まわし、入口に立ったままだった運転手に、

「おう、また呼ぶから、行っていいぞ」

と言った。レクサスは走り去り、前田は受付で「問診票」に必要事項を書きこんだ。

「ワンちゃんのお名前」の項目には、「前田ミネ」と書いた。美禰は自分が前田と結婚したみたいで、気恥ずかしいような虚脱するような気分になった。

「えー、美禰さんと同じ名前っすか」

噴《ふ》きだすのをこらえる表情で、土田くんが小声で言った。

ミネは大型犬なうえに毛が長くて多いので、トリミングのすべての工程を終えるのに三時間はかかりそうだった。通常であれば、飼い主はそのあいだ、買い物に行ったり一度帰宅して用を済ませたりする。だが前田は、

「ここで見物する」

と隅の椅子《いす》に座った。「気にしないで進めてくれ」

中井さんが担当するポメラニアンを迎えにきた顧客が、黒いスーツで店内に睨《にら》みをきかせる前田を見て、明らかに怯《おび》えていた。

美禰は中井さんと土田くんとともに、三人がかりでミネのトリミングをした。あまり鋏《はさみ》を使うと、前田が咳払《せきばら》いしたり脚を組みかえたりして威嚇《いかく》するので、土田くんはそのたびに肩を揺らす。ミネの尻や腹にできた毛玉を丁寧にカットし、顔の毛も少し短くした。まん丸で黒い目が現れた。ミネは前田がいることを確認しては、安心したように尻尾を振った。

爪はそんなにのびていなかった。散歩に連れだしているのだろう。少しだけ切った。

いつもなら美禰に任せてくれるのだが、今回は中井さんが担当した。流血でもして、前田を刺激してはまずいと、中井さんなりに判断したらしい。ミネはおとなしく中井さんに足を委《ゆだ》ねた。

シャンプーを終えるころには、腕がだるくなっていた。ミネは業務用のドライヤーの音にびっくりしたようだ。急に伏せをしてしまったが、

「大丈夫だよ、ミネちゃん」

と美禰が優しく言い聞かせると、あたたかい風が出るだけだと納得したらしく、再び立ちあがった。諦《あきら》めたのか心地いいのかわからないが、そのあとは目を細めてじっとしている。「ミネちゃん、ミネちゃん」と中井さんも土田くんも呼びかけるものだから、美禰はなんだか自分がトリミングされているような気がした。

会計は一万五千円（消費税別）だった。三人がかりで三時間弱も費《つい》やしたことを考えれば、大型犬をトリミングするのは割に合わない。しかし中井さんは、たとえ老犬であろうと病犬であろうと、どんな犬でもできるだけ引き受けるのを旨《むね》としている。獣医と連携を取ることもある。ときに利益を度外視してまで、犬のためになるトリミングを志《こころざ》す中井さんを、美禰は改めて見直した。女ムツゴロウはやっぱり伊達《だて》ではないと思う。

やり遂《と》げた、という満足感とともに、美禰と土田くんは額《ひたい》の汗を拭《ぬぐ》った。前田は、未だもこもこしてはいるが、視界が広くなって喜んでいるらしいミネを見下ろした。そして中井さんに、ピン札を五枚渡した。

「釣りはいらない」

驚いた中井さんが呼び止めるまもなく、いつのまにか来ていたレクサスに乗って、前

田とミネは帰っていった。

「ヤクザっすよね、あれ」

土田くんがいまさらなことをつぶやいた。

店を閉めてから、前田の余剰支払いぶんを軍資金にして、三人で焼き肉屋に行った。


「トリマーってのは、なかなかたいしたもんだなあ」

住宅街の公園のベンチに並んで座っているとき、前田はそう言った。ミネは水を飲んだあと、鉄棒の支柱につながれた。下校途中の近所の小学生が、

「すげー、シロクマ！」

「ちげーよ、羊だよ」

などと言いあいながら、ミネを撫でている。ミネはされるがままになっている。

梅雨が明け、草いきれのにおいは強く、ミネそっくりのふわふわで艶《つや》のある雲が青空に浮かんでいた。

前田は一週間おいて、また「プティ・キャン」にやってきた。今後、月に一度予約を入れる、と宣言するためだ。家でブラッシングするとき、ミネが毛玉を痛がるのがずっとかわいそうだったのだそうだ。

「俺ぁ、犬のくせに服なんざ着てるやつを見ると、飼い主ごと踏みつぶしたくなるんだが、あんたんとこの店は、いい。ミネを妙ちくりんなボンボンカットにしないでくれる

しな」

美禰は前田と、店休日に一緒にミネの散歩をするようになった。きっかけは、ある水曜の朝、前田が不機嫌そうに世田谷代田のホームに立っていたことだった。

やはり列には並ばず男根を眺めていた前田は、美禰がやってくるのを見て、

「おう」

と言った。「なんで昨日はいなかったんだい」

「火曜は定休日なので」

美禰の返答を受け、前田は怒ったような顔をして、また男根を眺めた。給食に苦手な酢豚《すぶた》が出たのだが、苦手だと先生に言うことができず、昼休みも教室に残っていつまでも銀色の食器を睨んでいる小学生みたいな顔だった。

下北沢でひとの乗り降りが一段落したところで、前田はやっと口を開いた。

「俺はあんたが、俺をいやになったのかと思った」

いやになるほどつきあいが深いとは思えなかったが、前田の傷つきやすい部分、傷つけられつづけてきた部分を感じ、美禰は衝動的に前田を抱きしめたくなった。これが前田の、いつもの戦法なのかもしれない。だが、しかられてしょんぼりした犬を見たときと同じぐらい、衝動は激しかった。

「来週の火曜日、待ち合わせしませんか」

と美禰は言った。「ミネちゃんにも会いたいし」

火曜日の夕方になると、世田谷代田の改札口に、前田はミネを連れてやってくる。スーツのときもあれば、ゴルフでもするような恰好のときもある。どんな服でも、前田は通行人の注目を浴びた。前田自身のせいでもあるし、ミネが巨大な白い毛玉みたいだからでもあるし、五メートルほどおいて黒いスーツの男（ネクタイはいつも幅が広い）が油断なく周囲に目をやりながらついてくるからでもあった。

美禰はあまり気にしなかった。前田がどういう人物で、どこでなにをしているのか。そんなことは、どうでもいいと思った。

散歩するあいだ、前田はほとんど黙っている。ミネがしゃがむと、持っていたスーパーのレジ袋を開いて備える。

「よく出たなあ、ミネ」

とミネの頭を撫でてから、「あんたのことじゃないぞ」と美禰に言う。

木暮荘に差しかかったとき、

「こういう建物が好きです」

と美禰は前田に教えた。

「こういうアパートに住んでたよ、昔な」

前田は穏やかに言った。

「いまは？」

「いまは、もっと……」

少し言葉を途切れさせた前田は、「クソみたいなもんだ」と小さくつけ加えた。

ミネは木暮荘の犬の存在に気づいたのか、生け垣越しにさかんに尻尾を振った。庭の犬も、花壇らしきもの（囲いがないので、花壇だと推測するしかない）に突っこんでいた鼻先を上げ、三角の耳を立てた。左耳のさきだけ、少し折れている。

「犬がいるな」

「そう。いつも一人で楽しそうに遊んでるんですよ。いつかあの犬をシャンプーしたいって、見るたびに思います」

「一人？　一匹だろ」

前田は笑った。仕事柄、つい擬人化《ぎじんか》してしまう癖《くせ》に、美禰は改めて気づかされた。

散歩の最後は、小さな公園で一休みすると決まっていた。幅広ネクタイの男は、木立の下に立っている。

「部下のかたですか」

美禰が尋ねると、

「舎弟《しゃてい》だよ」

と前田は言った。もしかしたら、不動産屋か建設会社の社長かもしれない、と美禰が貧困なイメージをもとに抱いていたわずかな希望は、そのときあっさり崩れ落ちたのだった。やっぱり、と思った。

「あんたは、あれか。将来の夢とかあんのか」

二十代半《なか》ばを過ぎたものに質問するようなことだろうかと思ったが、前田は真剣な顔つきでベンチに座っている。だから美禰も真剣に考えてみた。

「トリマーとしてもっと腕を磨《みが》いて、いずれは自分の店を持ちたいとは思ってますけど……。まだまだですね」

凡庸《ぼんよう》な夢だ。美禰は言いながら早くも後悔した。だが前田は、

「そりゃいいな」

とうなずいた。

「前田さんは?」

「俺ぁ、飯《めし》が食えてたまに笑えりゃ、それでいい。そうやって死ぬまで生きられりゃいいなと思うよ」

夜の海と同じ色の目をしている。その答えは、美禰の胸に長く残った。

物騒だからと、前田が美禰のマンションまで送ってくれるのはいつものことだった。物騒といえばこれほど物騒なものはない風体《ふうてい》のくせに、前田と幅広ネクタイの男はマンションの入口で礼儀正しく立ち止まる。笑い顔みたいに口を開けたミネがお座りして、マンションの階段を上る美禰を見送ってくれる。

蒸し暑かったからか、満月が出ていたからか、その晩美禰は、

「上がっていきませんか?」

と前田を誘った。前田はミネを見下ろし、ミネは前田を見上げた。

「ミネちゃんも」

と美禰は言った。前田とミネは階段を上り、二階にある美禰の部屋を訪れた。美禰は洗面所でタオルを濡らし、玄関に取って返した。前田とミネは、窮屈《きゆうくつ》そうにたたきに立っていた。

「舎弟のかたは?」

変な呼びかただと思ったが、ほかになんと言えばいいのかわからない。

「あいつはいい。ドアの外で待ってる」

前田は少し早口になって答えた。

濡れタオルでミネの足を拭《ふ》いてやり、美禰は一人と一匹を部屋へ通した。ワンルームでは座る場所もろくにない。冷たい麦茶の入ったコップを盆に載せ、水を入れた丼《どんぶり》を持って台所から戻ると、前田はガラステーブルとベッドとの隙間《すきま》に正座していた。ミネはベランダに面した掃《は》きだし窓に背中を押し当て、エアコンの風を受けて涼んでいた。

「いい写真だ」

前田は壁にかかった海を見て言った。「ちょっと暗いが」

美禰は前田の向かいに腰を下ろした。

「前田さん。私は前田さんに、柱から生えてるものが見えるのは、私たちだけじゃないか、って言いましたよね」

「言ったな」

「なんとなく、こういうことじゃないかと思うんですが」

美禰は麦茶を一口飲んだ。「ひとを殺したことがありますか？」

「……ある」

と前田は静かに答えた。なぜそんな質問をする、と怒るかもしれないと思っていたので、美禰の緊張はひとまずやわらいだ。

「私もです。私、大和《やまと》市の出身で、高二まではヤンキーでした」

ミネは目を閉じている。前田は黙って、視線でうながした。美禰は話をつづけた。

高校二年の夏休み、美禰はつきあっていた二つ年上の男と、夜の片瀬《かたせ》海岸に出かけた。江《え》の島《しま》の鉄塔についた小さな明かりが、闇に赤く点滅していたのを覚えている。

そうきれいでもない浜辺に座り、しゃべったり煙草《たばこ》を吸ったりするうちに、男は美禰の胸に手をのばしてきた。砂に押し倒され、「ホテルに行くお金ないのかな」と思ったが、いやだとは言わなかった。

頭上の道路を、車がさかんに行き交っていた。丸い月が出ていた。堤防を歩くひとの声や、砂浜で打ち上げられるロケット花火にびくつきながらも、行為は着々と進んだ。そのとき美禰は、暗がりからミーミーと子猫の鳴き声のような音がするのに気がついた。

「ねえ、なんか鳴いてない？」

「え？」

と、うるさそうに男は言った。美禰は上体を起こし、あたりを見まわした。声は浜辺に積み重なったテトラポッドの陰から聞こえてくるようだった。波音にかき消されそうなほど、小さな声だ。

美禰の気がそれたのを感じ取ったのか、男は面倒くさげに立って、声のするほうに歩いていった。美禰もあとにつづいた。

黒いゴミ袋が捨ててあった。口はゆるく結ばれている。袋はかさかさと音を立てていた。だが、それが風のせいなのか、内部の動きによるものなのか、わからなかった。ミーミーという鳴き声も、ゴミ袋の近くに立つと、まったくべつの場所から聞こえてくるようでもあった。鳴き声ではなく、たとえば軋《きし》んでまわる風見鶏《かざみどり》の音だとも思えた。

捨て猫でも入れられているのかもしれない。でも、確信が持てなかったし、小動物の命を気にする「かわいい女」を演じていると思われたくなかった。なにより、こわかった。ゴミ袋を見て、男のいらだちが明らかに増したからだ。

「ゴミしかねえじゃねえか」

と男は言った。機嫌を損《そこ》ねた男が、「もう帰ろう」と言いだしたらどうしよう、と思った。仲間はとっくに処女ではなく、美禰はあせっていた。

「そうだね。ごめん」

美禰は男の腕に腕を絡め、甘えるように軽く引っぱった。男はちょっと笑い、ゴミ袋をつかむと海へ放り投げた。袋は満月に照らされて鈍《にぶ》く光りながら弧《こ》を描き、波間に落ちた。

「これでいいだろ」

と男は言い、美禰の首筋に鼻をうずめた。

「次の日の朝、ニュースでやってました。生まれてまもない赤ちゃんの死体が、片瀬海岸で発見された、と」

ゴミ袋に入っていたのは、単なるゴミか猫だったんだと思おうとした。現にニュースでは、赤ちゃんがゴミ袋に入っていたとは言わなかった。でも、波に漂ううちに結び目がほどけたのかもしれない。

もし本当に、あのゴミ袋に赤ちゃんが入っていたのだとして、あのとき袋を開けていたとしても、助かったかどうかわからない。ずいぶん弱々しい声で泣いていたから。いや、鳴いていたから。きっと猫だ。もしくは風見鶏。

男はニュースを知らないのか、知らないふりをしていたのか、なにも言わなかった。美禰も、だれにもなにも言わなかった。どうしたらいいのかわからなかった。

ただ、こわかった。

「その彼氏とは、すぐに別れました。もとからお互いに、やりたいだけだったのかもしれない」

前田は黙っている。美禰は前田の顔を正面から見た。なんの表情も浮かんでいない。

「本当は私、お医者さんか看護師になりたかったんです。じゃなければ獣医。それぐらいしか、思いつかなかった。でも、勉強できなかったし。がんばって技術磨いて、トリマーになったんです」

取り返しがつくはずもないが、ほかにどんな道を歩けばよかったのだろう。

「もっとべつの共通項があるんじゃないか？」

部屋に落ちた沈黙を、前田がそっと破った。「好物がカラスミだとか、セックスの相手が千人を越えてるとか」

「カラスミなんて一度しか食べたことないし、セックスはその後してません」

「えっ」

前田は背筋をのばした。「じゃ、一回きりなのか。そりゃいけないなあ。いけねえよ」

美禰はガラステーブルを引き寄せてから立ちあがり、空間に余裕のできた前田の膝《ひざ》のまえに移動した。

「だから部屋に呼んだんです」

「うーん」

抱きついた美禰の背に手をまわし、前田はうなった。「俺には嫁がいたし、いまも愛人が三人いるんだが」

「でも、あれを見ることができるひとは、ほかにいない」

人殺しの重さを知るひとは。

気配に気づいたのか、ミネが耳を動かしたが、吠えもせず寝そべったままだった。

「しかしなあ」

ややして、前田はベッドから天井を見上げて言った。「俺たちだけに見えるあれは、なんでチ×ポコの形をしてるんだ？　しかも水色」

「はじめてしたとき、彼はたしか、水色のゴムを使ったんです」

美禰は腹に付着した精液をティッシュで拭いながら言った。

「妙な色を選びやがる」

「何色ならいいんですか？」

「いやまあ、改めてそう聞かれると、色なんてなんでもいい気もする」

前田は美禰の手からティッシュを取り、丸めてゴミ箱へ放った。「だが俺は、水色のコンドームなんか使ったことねえぞ」

「たぶん……、性欲というか、つまんない競争心に負けたから」

「そりゃあますます、俺には当てはまらねえよ」

「きっと、前田さんに」

殺された、とは言いにくくて、美禰は口ごもった。「……命を奪われた男の怨念《おんねん》でもあると思う」

「ひとを食って生きのびたやつに後光が射す、って映画があったから、みねの言うようなこともないわけじゃないかもしれないが」

前田は美禰の肩を撫でた。ミネを撫でるときのように軽く、しかし真情の籠《こ》もった手つきだ。

「俺の考えを言おうか。あれはたぶんキノコだ。細かいことはよくわからんが、とにかくキノコだ」

美禰は答えなかった。

「どうしても気になるなら、俺がもいで、おまえの視界に入らない場所まで持っていってやるよ」

目を閉じると波の音がした。


それから一週間、前田は一度もホームに姿を見せなかった。ばかなことをするんじゃなかった、と美禰は後悔した。

朝だというのにうだるような空気のなかで、心なしか男根もしぼんで見えた。

祈るような気持ちで火曜日に改札口で待っていたら、

「よう、悪かったな」

と、前田がなにごともなかったみたいにやってきた。片手にミネをつないだ散歩紐《ひも》を持ち、もう片方の手には、買い物でもしたのかレジ袋を提《さ》げている。

「ここんとこ、ちょっとごたついてたんだ」

幅広ネクタイのほかに、小太りの男がつき従っていた。倍の人数であたりを警戒する目は、これまでよりも鋭く光っているようだった。

いつもの散歩とちがって、前田は明確な目的のある足取りで道を進み、木暮荘のまえまで来ると、ためらわず庭に踏み入った。美禰は驚いたが、幅広ネクタイに背中を押され、前田のあとにつづいた。ミネが振り返り、大丈夫だと言うように舌を垂らす。

木暮荘の犬がすぐに駆け寄ってきて、ミネとひとしきりにおいを嗅《か》ぎあった。

「おーい、じいさん」

前田が声をかけると、一階の掃きだし窓が開き、頑固そうな老人が出てきた。庭いじりをしているのを、何度か見かけたことのある老人だ。

老人は、前田と転げまわる二匹とをそれぞれ一瞥してから、美禰を見た。

「ジョンを洗ってくれるというのは、あんたか」

「はい?」

「洗いたいって言ってただろ」

と前田は言い、ぶらさげていたレジ袋から、犬用シャンプーを出した。「思うぞんぶん、やってやれよ」

「犬を洗うなんざ、世の中どうかしてる」

そう言いつつ、老人は窓辺に腰かけ、美禰が木暮荘の犬(ジョンというらしい)をシャンプーするのを見物した。

庭に設置された水道の蛇口《じゃぐち》をひねり、まずはジョンを濡らす。最初は水遊びかとはしゃいでいたジョンは、びしょ濡れにされるに至って、「これはたまらん」と思ったらしい。庭じゅうを逃げまわりはじめた。ミネも一緒になって走った。幅広ネクタイと小太りが汗だくになって追いかけ、ジョンを捕獲した。

シャンプーをすすぎ落とすと、一度目は水が真っ黒になった。二度目のシャンプーでも濁《にご》りは残り、三度目でようやく洗いきった。水が透明度を増すにつれ、ジョンの毛色も明らかになった。茶色い犬が薄汚れて灰色っぽく見えるのかと思っていたが、実際のジョンは純白で、腰に薄茶色のブチがあった。

住人らしきサンダル履《ば》きの若い女が、道から庭に入ってきた。女はジョンを見て、

「うっそ、ジョンなの？　まじで？」

と言った。老人は、

「いやはや、ほう」

と首を振って答えに代えた。

すがすがしい気持ちで、美禰は笑った。傾きかけた夏の太陽が、雑草だらけの庭を照らした。

「みねの一番の夢は、俺が手出しできるようなことじゃなさそうだったから」

美禰を見て、前田も笑った。「まあ、これでよしとしてくれや」

やっと解放されて一息ついているジョンと、庭を探検するミネを、前田はしばらく眺めていた。

それがいまのところ、美禰が前田と会った最後だ。

次の日、前田はホームにいなかった。柱の男根も消えていた。根もとからもぎ取られた跡《あと》があった。

なんとなく予期していたことだった。

火曜日の夕方に改札口で二時間待ったが、前田もミネも来なかった。

美禰は「プティ・キャン」で、たくさんの犬をシャンプーした。あいかわらず中井さんは、「はいはいはい、こわくないよー」と犬あしらいのうまさを発揮し、土田くんは肛門腺を絞り損ねて、怒ったワイヤー・フォックス・テリアに指を食いちぎられそうになった。

月に一度のミネのトリミングの日に、やってきたのは幅広ネクタイだった。慣れない手つきで握っていた散歩紐を美禰に渡し、

「よろしくお願いします」

と言った。幅広ネクタイがしゃべったのは、これがはじめてだと思った。

「今日は、前田さんは?」

「出張中です」

「いつごろお戻りですか?」

「三年ほどです。そのあいだは、私がミネさんのお世話を仰《おお》せつかっております」

「えっ」

と土田くんが素《す》っ頓狂《とんきょう》な声を出した。

「犬のこと」

と美禰はたしなめた。

幅広ネクタイがミネを預けて立ち去ると、土田くんは感心したように言った。

「すげえっすねえ。兄貴分の犬は、やっぱ呼び捨てにできないものなんっすねえ」

ミネはいつもと同じくおとなしかった。

「前田さんといられなくて、さびしいね」

ドライヤーで風を送りながら話しかけたら、ミネは目を伏せた。偶然かもしれない。

ふかふかしたミネの背中の毛を撫でてやった。言った美禰のほうがさびしくなった。

ヤクザの出張先がどこなのか、なるべく考えないようにした。前田の忠実なる舎弟、幅広ネクタイが三年と言ったのだから、三年経《た》ったら帰ってくるのだろう。

風に秋の気配が混ざるようになり、柱に残っていたかすかな痕跡も、完全に剝落《はくらく》した。ここに水色の男根が生えていたなんて、だれに話しても信じてもらえない。美禰自身も、夢ではないかと思ったりもする。

そのたびに、前田の声が聞こえる。

どうしてやつらは、見て見ぬふりするんだ？

それは美禰を撃《う》ち、前田を撃ち、過去まで貫《つらぬ》く弾丸だ。かつてしたことを、忘れさせぬための言葉だ。

世田谷代田駅で電車を待つあいだ、美禰はいつも、うしろ手でホームの柱に触れる。触れながら、美禰の過去を持っていってやると言った男のことを、男が美禰にしてくれたすべてのことを、何度も何度も思い返す。

黒い飲み物

夫のいれるコーヒーは泥の味がする。

佐伯《さえき》がそう思うようになったのは、ここ二カ月ほどのことだ。喫茶店を経営する夫に、「あなたのコーヒーって泥味ね」と言うこともできず、佐伯は黙って、白いコーヒーカップになみなみとそそがれた黒い液体を飲む。泥味にも日によって変化があり、水草の繁茂《はんも》した池みたいに生ぐさいときもあれば、公園の砂場の砂を溶かしたようにざらついて鉄くさいときもある。

「喫茶さえき」の常連客から苦情が出たという話は聞かないし、繭《まゆ》ちゃんも佐伯の夫がふるまうコーヒーをおいしそうに飲んでいる。だから、泥の味を醸《かも》しだしているのはコーヒーではなく、自分の舌もしくは心なのだろうと、佐伯はちゃんとわかってはいる。わかっていても、どうしようもないのよねえ。だって現に泥味なんだもの。

「どうかしました？」

繭ちゃんに心配そうに尋ねられ、「なんでもない」と佐伯はあわてて首を振った。知らぬまにため息を連発していたようだ。なんとか中身の半分までは飲んだコーヒーカップをトレイに置く。

さりげなく繭ちゃんを観察する。繭ちゃんは湯気に顎《あご》をあてるようにしながら、そう大きくもないコーヒーカップを両手で包み持っている。

油断ならない、と佐伯は思う。繭ちゃんがコーヒーカップを両手で包み持っているのは、佐伯が買っておいたクッキーをソーサーに並べたせいで置き場所がないためだが、それにしたってコーヒーカップぐらい片手で持てるだろう。

注意せよ。取っ手のついた器《うつわ》をわざわざ両手で包み持つような女は食わせものだ。私の経験則がそう言っている。佐伯は内心で警報を鳴らす。

「フラワーショップさえき」の店内に、一時《ひととき》の静けさが訪れた。

九月も半《なか》ばだというのに、暑さはまだつづいていた。表では時機を逸《いっ》した蟬《せみ》が、激しく悲愴《ひそう》に鳴いている。日射《ひざ》しをさえぎるため、さきほど軒先《のきさき》にシェードを下ろしたところだ。ガラスのショーケースは温度調節されているが、陳列した花も心なしかうなだれて見える。

こんな午後に、わざわざ花を買いにくる客はあまりいない。佐伯と繭ちゃんは暇《ひま》を持てあまし、早めにおやつ休憩を取ることにしたのだった。

「フラワーショップさえき」の奥には、「喫茶さえき」が併設されている。マスターは佐伯の夫だ。花屋の店内で佐伯と繭ちゃんがグダグダしているのを見て取り、夫はタイミングよくコーヒーを運んできてくれた。二つの店は二階屋の一階にあり、間仕切りがわりに観葉植物の鉢《はち》が置かれているだけだから、互いの行き来は容易にできる。

西麻布《にしあざぶ》の交差点に近いといっても、通りを一本入れば、古くてこぢんまりした家が並ぶ住宅街だ。「喫茶さえき」は、戦後少ししてから営業をはじめた店で、近所の住民や出勤前のクラブのママの憩《いこ》いの場となっていた。佐伯の夫は、「喫茶さえき」の三代目だ。

「喫茶さえき」の一部を改装し、佐伯が「フラワーショップさえき」を開業して、十年ほどになる。花屋を併設したカフェ、というとしゃれたにおいがするが、実際はあくまで、「町のお花屋さん」と「古い喫茶店」だった。

それでいいのではないか、と佐伯は思っている。夫婦が互いの姿を目の端に映《うつ》しながら働ける距離感も気に入っているし、どちらの店にも顧客がついて、暮らしていくには困らない程度の収入がある。なにより、夫の死んだ両親から受け継いだ、「喫茶さえき」の雰囲気を壊したくなかった。いまとなっては古ぼけている感は否《いな》めないが、布張りの一人掛けソファも、安物のシャンデリアも、窓に貼りつけた偽物のステンドグラスも、見ようによっては味わいを醸しだしている。

そして、磨《みが》きこまれたウォールナットのカウンター。「喫茶さえき」は時代に左右されない魅力を持った店だし、夫も喫茶店のマスターとして理想的な気配りと無口さとを兼ね備えている。

観葉植物越しに「喫茶さえき」のほうに目をやり、佐伯は思わず、またため息をついてしまった。艶《つや》やかな飴色《あめいろ》のカウンターの向こうで、夫が立ち働いている。常連客の話に短く相槌《あいづち》を打っているようだ。

問題はただ、私がなぜか、夫のいれるコーヒーをおいしいと感じられなくなってしまったことだけ。

「ほんとにどうしちゃったんですか」

繭ちゃんが顔を覗《のぞ》きこんできた。「具合でも悪いんじゃ……」

「ううん、大丈夫」

繭ちゃんに向き直り、笑ってみせた。明るすぎる光に満ちた通りを、ガラスのドア越しに眺める。コーヒー以外のことを考えなければ。

「そうだ、並木《なみき》くん、とうとう出ていっちゃったんでしょ？」

佐伯は話題をひねりだした。繭ちゃんはこの夏、昔の彼といまの彼とのあいだで、にわかに三角関係を形成することになった。「モテモテじゃない」と佐伯がからかうと、「そんないいものじゃないですよ」とむくれていたが。

ところが先日、昔の彼は繭ちゃんのアパートから姿を消したらしい。いまの彼と繭ちゃんの仲のよさを見て、到底割りこめないと観念したのだろうか。

「いまの彼、伊藤《いとう》さんだっけ？　伊藤さんとはその後、うまくいってる？」

「はい」

繭ちゃんはちょっとうれしそうにうなずいた。「二人でよく、並木の話をしてますよ。『案外、近所に住んでたりして』とか、『そのうちまた訪ねてくるんじゃないか』とか」

短い期間ながら共同生活を送った三人には、奇妙な連帯感が生じたようだ。

「呑気《のんき》だねえ」

それとも、呑気を装っているだけか。

清潔そうなそぶりで、その実、二人の男を冷静に天秤《てんびん》にかけたのかもしれない。いまどきの若い子って、みんなこんな感じなのだろうか。繭ちゃんとは年が十五以上も離れているからか、どうもよくわからない部分がある。

「せっかく三角関係が決着して、彼と二人きりになったんでしょ？　もっといちゃいちゃすればいいのに、どうして過去の男の話なんかするんだか。繭ちゃんもたいがいだけど、伊藤さんも変わってる」

佐伯がそう言っても、

「でしょうかね」

と繭ちゃんはにこにこしている。

ちょうど電話が鳴ったので、話はそこまでになった。応対を繭ちゃんに任せ、佐伯はコーヒーカップを夫のもとに返しに行った。

「ごちそうさま」

声をかけると、カウンターのなかの夫は無言でうなずいた。佐伯がコーヒーを半分残したことは、特になんとも思っていないようだ。

カウンター席には、常連客が二人いた。一人は、近所に住むおじいさん。店に置いてあるスポーツ新聞を読んでいたが、佐伯に気づくとちょっと手をあげて挨拶《あいさつ》を寄越した。

もう一人も、佐伯に会釈《えしゃく》する。若い女の子で、たしか牧野《まきの》という名前のはずだ。就職浪人中だとかで、近くのバーでアルバイトしているらしい。バーへ出勤するまでの時間をつぶすため、「喫茶さえき」をよく利用している。佐伯も会釈を返した。そのときにはもう、牧野の視線は佐伯の夫に戻っていて、中断した会話を再開させていた。税理士だか会計士だかの資格を取るのがいかに難しいか、資格があっても狙《ねら》った会社に採用されるのがいかに狭き門か、縷々《るる》述べているようだ。

このひとに話したって、「へえ」「ほお」ばっかりで、ろくなアドバイスは期待できないでしょうに。

「フラワーショップさえき」のテリトリーに戻る。繭ちゃんが器用にディスプレイ用のミニブーケを作っていた。

「あ、佐伯さん。ブーケの注文が入りました。彼女のお誕生日なので、五時までに用意してください、ですって」

渡されたメモに目を落とす。

「五千円ね。なにか希望の花は？」

「特にないけど、できるだけ大きく華《はな》やかに、だそうです」

「了解」

ガラスケースのなかで咲き誇る花々を眺め、見栄《みば》えのするブーケの想を練った。五千円だと、いま店にあるバラを中心にしたのではボリュームが出ない。大輪のダリアを使ったほうがいいだろう。ちょっと変わった品種で、花弁が多くて花火みたいに派手なわりに、色味《いろみ》は薄いピンクでかわいらしい。これに葉ものと、同系色のバラ、白いアスチルベを組みあわせよう。花束を渡す男の面目《めんぼく》も立つし、誕生日だという女性にも満足してもらえるはずだ。

男性がたいてい、「大きく見えるように」と注文するのが不思議だ。花の種類に詳《くわ》しくないうえに、色合いの指定をするなんて、あまり考えつけないためだろうけれど。女性で花束の大きさにこだわるひとは、そう多くはない。若いひとは特に。それよりも、めずらしくてうつくしい花が使われているか、色づかいの調和が取れているか、アレンジのセンスがいいかを気にする。

男女がお互いに求めるもののちがいが、こういうところにも表れるのだろうか。花の茎《くき》を切りそろえながら、佐伯は考える。男は花束を通して、自身の力をアピールしようとする。金銭や自分の存在の大きさといったものを。でも女は、受け取った花束から相手の気づかいや対話の意志を読み取ろうとする。どれだけ自分の好みを知ってくれているか、どれだけ細《こま》やかな思いを注《そそ》いでくれているかを。

男女の気持ちがすれちがうのも当然だ。リボンをかけたブーケのバランスを点検しながら、佐伯はひっそり笑う。愛を得たいと願う心は同じなのに、どこかが決定的に嚙《か》みあわない。だからこそ、いつまでも飽《あ》きずに恋ができるのかもしれない。

注文主は、五時を少しまわって現れた。照れくさそうにピンクの花束を持って、勇んで夕方の街へ出ていく。佐伯は繭ちゃんと一緒に、店先で男を見送った。「ああ、日が暮れるのが早くなってきたんだな」と気がついた。

朝は連れだって花市場に行くので、佐伯と夫は毎晩早めに就寝する。本格的な眠りがやってくるのを待つあいだ、佐伯は一日の出来事についてとりとめもなくしゃべる。

「でもね、繭ちゃんは伊藤さんと、あんまりいちゃいちゃしてないんだって」

隣《となり》のベッドに横たわる夫は、「ああ」「ふうん」と必要最小限のうなり声しか発さない。いつものことだ。ところが佐伯が、

「若いのに淡白だよね」

と言ったら、

「若いからこそじゃないのか」

と、めずらしくまともに返事があった。佐伯は枕のうえで首をめぐらし、夫を見る。暗さに慣れた目に、夫の体の凹凸《おうとつ》が遠い山並みみたいに映った。

「どういうこと？」

「繭ちゃんはたしか、まだ二十代の半ばだろう。がっつくような年じゃない」

「それもそうか」

再び天井に視線を戻す。何千回となく見上げた天井板の、節《ふし》は今夜も黒々としている。

「ねえ、牧野さんだっけ？　最近ますますよくお店に来てるみたいね」

息を殺して待ったが、夫からの返答はもうなかった。聞こえないふりをしているのか、本当に眠ってしまったのか。寝息も寝返りもなく、隣のベッドは静かである。

いつものことだ。寡黙《かもく》な夫は気配もなく、死んだように夜を越える。

取り残された佐伯は、仰向《あおむ》けのまましかたなくじっとしていた。どうしてこんな、無口で無愛想なひとと結婚したんだか、と思うが、口数が少なく浮《うわ》ついたところのない彼を見て、ぜひとも一緒に暮らしたいと願ったのは若いころの佐伯だった。

古いけれど居心地のいい「喫茶さえき」を訪れ、夫の両親に結婚の挨拶をしたときも、「なかなかうまい選択をした」と内心で自分を褒《ほ》めた。東京で家と土地を持っている男、しかも親の職業を継いで食べていける男など、めったにいない。喫茶店の片隅に花屋を開けたら、どんなに素敵だろうと夢想した。

無口な息子を育てただけあって、夫の両親も穏《おだ》やかで物静かなひとたちだった。堅実に喫茶店を切り盛りしていたが、佐伯が結婚して六年目に交通事故で亡《な》くなった。町内会のバスツアーに参加していて、バスが雪道でスリップして横転し、佐伯の夫の両親だけ車外に放りだされたのだ。テレビのニュースにもなった。

留守中に店番を買ってでていた佐伯は、報に接して夫以上に呆然《ぼうぜん》とした。こんなことってあるんだろうか。

ニュースになるような事故に身近な人間が巻きこまれるなんて、という意味でも、どうやら予想よりもずっと早く、家と土地と家業が自分たち夫婦のものになりそうだ、という意味でも、信じられないような気がした。

夫は脱サラし、「喫茶さえき」の三代目マスターに収まった。事故のほとぼりが冷めたころ、保険金とバス会社からの見舞金で店内を改装し、「フラワーショップさえき」が開店した。

佐伯と夫は、いまや四十代の半ばに差しかかっている。自営業の難しさとつらさは、この十年ほどでいやというほど味わったが、苦しいと感じたことはない。客の顔を直接見て、要望に応じて花束やアレンジメントを作るのは、やりがいのある仕事だった。

こう言っては言葉が悪いけれど、夫の両親は本当にいいタイミングで、私たちに店を譲ってくれた。

二十代は、がっつくような年じゃない。たしかにそうだ。夫の言いたいことはよくわかる。

夫の両親が事故に遭《あ》うまえ、佐伯と夫はちょうど危機を迎えていた。夫婦仲が悪くなったのではない。むしろ、きわめてよかった。異常なぐらいよかった。

佐伯と夫はそのころ、毎晩とまではいかないまでも、かなりの頻度《ひんど》でセックスしまくるようになっていた。あれはもう、さかりがついたとしか言いようがない。つきあいはじめた当初だって、あんなにセックスはしなかった。佐伯は週刊誌の記事かなにかで読んだのだが、世界で一番セックスするのはギリシャ人だという統計があり、それによるとギリシャ人は二日半に一回セックスするそうだ。佐伯と夫も負けていなかった。

きっかけがなんだったのかは、いまもってわからない。

当時、佐伯と夫は千駄木《せんだぎ》のアパートに住んでいた。学生向けに毛が生《は》えたような、ちょっと広めの1LDKだ。

佐伯はパートで不動産屋の事務をしており、夫は隅田川《すみだがわ》沿いにあるそれなりに名の知られた会社で働いていた。毎朝、規則正しく出勤しなければならない。でも、夜はギリシャ人も顔負けな頻度でセックスした。当然、疲れる。しかしやめられなかった。たぶん、薄い壁越しに声や気配が隣へ筒抜けだっただろう。

佐伯と夫は結婚当初から、子どもが欲しいとは思っていなかった。将来、喫茶店を継ぐつもりでいたので、子どもを育てるだけの稼《かせ》ぎが得られるのかどうか不透明だったし、どちらも「子はかすがい」というような言説を信用していなかった。あくまで二者間でともに生きていこうと社会的契約を結んだのだから、そこにさらに、子どもという形で三人目四人目を加えなくてもいいだろうと考えていた。

そのため、特に積極的に子づくりに励んだりはしなかった。折に触れて互いの意志を確認しあったが、三十を過ぎてもやはり、「べつに子どもはいなくていいんじゃないか」というのが、いつも導きだされる結論だった。

セックスに文字どおり全精力を傾注するようになる徴候《ちょうこう》は、まず佐伯に表れた。三十歳になったころから、性欲が薄らいできたなと感じた。それまでも、佐伯の性欲はさして激烈ではなく、なんだかモヤモヤするといった程度だったのだが、モヤモヤすらもなくなってきた。日が昇るにつれ朝靄《あさもや》が森の奥に引いていくようなものだ。同時に、経血の量も減った。血の色も鮮やかさが失《う》せ、なんとなく茶色っぽくなった。「おやおや」と思って同年代の友人に聞くと、だいたいが「あたしもそう！」と答える。

私の体は確実に老いている。

生きていれば、だれしも年を取る。精神はまだまだ若いつもりだったが、体は着実に死に近づきつつあるようだ。佐伯の胸に、驚きとも落胆ともつかぬわずかな動揺と、「まあ、しょうがない」という諦《あきら》めが萌《きざ》した。想像していたほどには、老いることへのあせりは感じなかった。

ところが三十三歳の夏、休日の昼間に部屋でそうめんを口にしたとたん、もうなにがなんでもセックスしなければならないような気持ちになった。もちろん錯覚か気の迷いだと思い、理性で抑《おさ》えようとした。すぐに敗北した。

性欲というより食欲に近い渇望が腰のあたりから脳髄《のうずい》まで突きあげてきて、かたわらで箸《はし》を片手に高校野球の中継を見ていた夫にすり寄った。

夫はびっくりしたと思うが、なにぶんふだんから無口な性質であるので否とも言わず、ソファベッドの背をあわただしく倒して二人はセックスした。そうめんはザルのなかでのびた。

そういうことが間を置かず何回かつづき、さすがに夫がある夜、

「最近どうしたんだ」

と聞いてきた。

「うーん、よくわかんない」

まったくもって、理性では手綱《たづな》を取れない肉体の暴走だった。突然の発情期だ。獣《けもの》じみた発情のにおいにあてられたのか、夫もすぐに引きずられて果敢《かかん》に応じてくるようになった。仕事を終え、部屋で顔を合わせた瞬間には、互いの体に腕がまわっている。ありとあらゆる粘膜をこすりつけあい、撫《な》でたり噛んだりするのもそこそこに相手のなかに入ろうとし、揺さぶり、離れる。セックスというか交尾だ。

ソファベッドの背は倒れたままになったし、夕飯もサンドイッチとかおにぎりとか、抱きあいながらでも摂取できるものになった。

「明らかにおかしいよね」

汗まみれになって佐伯が言うと、夫は黙ってうなずいた。

入れて揺れて抜く。ひたすら単純な行為を繰《く》り返しているというのに、きちんとゴム

をつけて避妊しているところがまた、なんだかアンバランスで滑稽《こっけい》だし、我がことながら怖《こわ》かった。

いったいどうしちゃったんだろう。このままじゃ本当に、蓄積された疲労で死んでしまうかもしれない。隈《くま》が浮き頰《ほお》の削《そ》げた夫の顔を見て、佐伯は真剣に危惧《きぐ》しはじめた。佐伯自身もパート先で同僚に、

「なんかどんどん痩《や》せてってない？」

とほとんど毎日心配された。

いま考えると、あれは本能と野生の叫びだったのだと思う。生命の危機にさらされると、意志とは関係なく体が反応して子孫を残そうとすると聞く。老化も明らかに生命の危機だ。佐伯の体は死の予兆を敏感にキャッチし、「発情せよ」と脳に働きかけたのだろう。

夫婦二人だけの生活でかまわないという意志も、これからの人生設計も、そんなに頻《ひん》繁《ぱん》にセックスする必要はないという理性の警告も、つまりおおげさに言えば人間を人間たらしめる思考や尊厳のすべてを、なぎ倒し破壊しつくす暴力的な性欲の嵐だった。

間歇泉《かんけつせん》のように噴《ふ》きだし、隕石《いんせき》のように降ってきた欲求は、その年の冬、夫の両親が死んだと知った瞬間に、唐突に去っていった。佐伯と夫のあいだには、悲しみももちろんあったが、憑《つ》きものが落ちたみたいな晴れやかさが確実に漂った。

「あのままだったら、私たちどうなってたんだろう」

火葬場の待合室に並んで座り、佐伯は小さな声で夫に聞いてみた。

「死んでたんじゃないか」

と夫は言った。

そんな自分たちを見てみたかった気もした。

午前四時に起床し、夫の運転する軽トラックに乗って、五時には大田《おおた》区の花市場に行く。

ゆうべは、かつて吹き荒れた性欲の嵐について思い起こしているうち、いつのまにか眠ってしまっていた。なんの拍子《ひょうし》にか夜半に目覚めると、夫のベッドは空《から》だった。佐伯はベッドから下りて、夫が横になっていたシーツに手を当てた。布はすでに体温を残していない。

寝室にしている二階の八畳間を出て、狭い台所、茶の間をめぐる。ついで一階に下り、「喫茶さえき」のカウンターの明かりをつけた。

夫は家のなかのどこにもいなかった。

佐伯はうつらうつらしながら夫を待った。午前二時ごろに裏の戸口が開く音がし、夫が忍び足で階段を上がってきた。なにごともなかったように隣のベッドに潜りこむ夫を、佐伯は薄目を開けて観察していた。

寝起きに飲んだ泥味のコーヒーのせいで、胃が重くてたまらない。佐伯が黙っていれば、夫婦の会話はまずはじまらない。カーラジオが今日の天気を淡々と読みあげている。

その日の市場に、佐伯の心を格別惹《ひ》く花は出ていなかった。在庫と予算を勘案しながら、無難にバラと葉ものと仏壇用の菊を仕入れた。十本単位で買い入れる花の束を、夫が次々に担《かつ》いでいく。

「喫茶さえき」のモーニングは、七時半からだ。急いで帰って、用意をしなければならない。

佐伯は夫のさきに立ち、駐車場へ戻ろうとした。駐車場の一角を工事しているためか、いつもはない仕切りの鎖《くさり》が、膝《ひざ》の高さに張られていた。危ないな、と佐伯は思った。引っかかってしまうひとがいるんじゃないか。あとから来る夫は、花で視界を半分ふさがれているから、鎖の存在に気づけないかもしれない。

そう思ったけれど、佐伯は夫に注意を呼びかけなかった。なにも言わずに鎖をまたぎ越し、軽トラックのほうへ向かった。

背後でひとの転倒する鈍《にぶ》い音がした。振り返ると、夫が蛙《かえる》みたいな恰好《かっこう》でアスファルトにうつぶしていた。バラがあたりに撒《ま》き散らかされている。

「大丈夫⁉」

佐伯は夫を助け起こした。夫は顔をしかめ、右の肘下《ひじした》をさすっている。

「折れてない？」

佐伯が腕に触れると、夫はちょっと顎を引いて、「大丈夫だ」と言った。顔色が悪く、額《ひたい》に汗がにじんでいる。

「帰りの運転は私がするから」

花を拾い集めて荷台に載《の》せ、佐伯は運転席に陣取った。アクセルを踏む。混みあうまえの都心の道を、軽トラックは順調に進んだ。

横目でうかがうと、夫は助手席で腕をさすりつづけている。擦過傷《さっかしょう》も少しあり、なんだか手の甲のあたりまで腫《は》れてきているようだ。

やっぱり折れてるんじゃないかしら。

胃の重さは消えていた。


夫の腕の骨にはひびが入っていた。

しばらくはギプスをはめ、布で吊《つ》って動かさないようにする必要がある。店を閉めるわけにはいかないので、夫は左手だけでなんとか作業をしているが、利き手《きき て》ではないから効率が悪い。客が多いときは、佐伯が「喫茶さえき」を手伝うことにした。

「フラワーショップさえき」の従業員である藺ちゃんも、皺寄《しわよ》せを食って休みがほとんどなくなった。それでも文句を言うでもなく、てきぱきと仕事をこなしている。

「マスター、お大事にしてくださいね」

と真情の籠《こ》もった口調だ。夫を見る藺ちゃんの目に過剰な温度が含まれていないか、佐伯は注意深く観察していた。

　繭ちゃんに甘え、佐伯はなるべく「喫茶さえき」にいるようにした。ランチセットに添えるキャベツを千切《せんぎ》りにしなきゃならないし、皿やコーヒーカップも片手では洗えないじゃない、と夫を言いくるめた。

「大変だねえ、花屋もあるのに」

　常連客は佐伯に同情を寄せてくる。

「このひと、すぐ無茶をするから」

　喫茶店を手伝うことは負担にならない、と笑ってアピールした。花市場にも一人で行かなければならなくなり、体力的にきつかったけれど、夫の仕事をさりげなく助ける、気配りの行き届いた妻として振る舞った。

　もちろん本当の目的は、しつこい虫を払うことにある。

「やだー、痛そう。マスター、だいじょぶですか？　あたし、なんか手伝おうか」

　牧野は夕方に現れるたび、大仰《おおぎょう》に眉《まゆ》を寄せてみせる。佐伯はそのつど、

「大丈夫大丈夫。折れたんじゃなくてひびだから。ねえ？」

　と夫に代わって明るく答え、夫の同意を求めた。夫はうなずくだけだった。

　夜になり、二階の居住空間に引きあげてからも、佐伯は気を抜かなかった。

　ご飯のおかずにわざと焼き魚や煮魚を多くし、甲斐甲斐《かいがい》しく身をほぐしたり小骨を取ったり、ときには「あーん」と口まで運んでやったりもした。

風呂に入る夫のために、右腕にゴミ袋をかぶせるのも佐伯の役目だ。ついでに腕まくりをして風呂場に侵入し、夫の頭や背中を洗ってやった。それ以外のところを洗うこともあった。

改めて見てみれば、夫の腹まわりには少し肉がつき、腿《もも》からは張りが失われていた。私も同じだけ、しぼんだりたるんだりしたということだろうか。佐伯は、乳房に顔をうずめてくる夫の頭を抱きながら思う。夫のつむじは、年月を経ても形を変えていない。ツボを押すように、頭皮に人差し指をめりこませてみた。夫は、「痛い」と言って体を離した。もう一度ペニスを洗ってあげようとしたが、夫は「もういいよ」と左手でシャワーを持ち、そそくさと泡を流して風呂場から出ていった。

握りつぶされるかもしれないと怖《おそ》れを抱くぐらいなら、私を怒らせるようなことをしなければいいのに。

花屋と喫茶店での仕事のうえに、夫への奉仕活動まで加わり、佐伯は疲れはて、かえって目が冴《さ》えた。なかなか寝つけず、天井の黒い節を見つめつづけた。

夫は軽くいびきをかいている。めずらしいことだ。

痛み止めの薬を飲むと深い眠りに誘われるのか、夫はここのところ夜中に家から抜けださない。佐伯の思惑どおりだ。どうしても我慢できないときだけ痛み止めを飲むようにしてください、と医者には言われたのだが、佐伯はあえて毎晩、夫に薬を勧めている。ちゃんと眠らなきゃ、喫茶店の仕事にますます支障が出てしまうし、体を壊しちゃうわよ、と言って。

どうしても我慢できなかったからだ！

佐伯は天井を見上げたまま、心のなかで吼《ほ》える。夫が夜な夜などこかへ行っていることを、私は知っている。なにをしているのか知っている。見たことはないし見たくもないがわかる。なぜ、私が我慢しなくちゃいけない。知らないふりをしなくちゃいけない。

夫のいびきを聞く。

隣で眠る男はいま私のものだ。最初から私の夫なのだから、どこにも行かせないようにするのはあたりまえのことだ。いっそ夢のなかまで支配できればいいのに。夫の夢にだれを登場させるかまで、私が決めてやりたい。

これははたして愛情なのだろうか。佐伯は暗い寝室で一人笑う。夫への愛情がこういう形で発露しているんだろうか。

ちがうような気がする。執着や惰性《だせい》や情といっしょくたになった愛はあいかわらず夫に感じているけれど、これはたぶん、べつのところから生まれた感情だ。

手篤《てあつ》く看護し、心地よさを与え、深い眠りで夜につなぎとめる。それらはすべて、夫に対する佐伯の脅迫であり意地であり反撃だ。

あなたのしていることを、私は知っている。感じ取っている。感じ取っているということを、あなたは知るといい。

知ったうえでどうするのか、選択し切りだすのは夫のほうだ。事の発端を作ったのは夫なのだから。

結婚生活を持続しつつ、ちょっとした遊びも楽しみたいというなら、やってみればいいだろう。だが佐伯も、たぶん相手の女も、そんな状況には満足しないのだと、夫はじきに思い知ることになるはずだ。

もし私と別れたいのなら、こちらが察するのを期待して待つのはやめてくれ。言葉で伝える努力なしに、安穏《あんのん》と日常を送ろうとする怠慢《たいまん》のツケを払ってくれ。

若いころには魅力に思えた夫の無口が、いまはまどろっこしくてならない。もう二度とさかりがつくこともないだろう自分を思えば、なおさらだ。

つながり溶けあう手段は年齢とともに変わっていく。粘膜の熱から皮膚のぬくもりへ。見つめあう視線から表現力を増した言葉へ。うまく移行する自信があったから夫婦になったのではなかったのか。それをいまになって、私以外の、おそらく私より若いだろう女に、うつつを抜かすとは。

佐伯は奥歯を食い締める。

相手の女に忠告してあげたいぐらいだ。寡黙で渋い喫茶店のマスターに見えるのかもしれないけれど、こんな男を選んだら年を取って後悔するからやめておきなさい、と。

いずれにせよ、女に望みを伝えたいのなら、女を望みどおりに動かしたいのなら、言葉を尽くすほかはない。二十年近く佐伯と暮らしてきたくせに、夫はまだ、そこのところがよく学習できていないようだ。

そういえば発情期のまったただなかにも、入れて揺らして抜き取る行為を飽きるほど繰り返しながら、佐伯はいま自分がなにを感じているかを途切れ途切れに発し、夫にも心と体感を吐露《とろ》するよう求めつづけたものだった。ただでさえ無口な夫は、快楽を人質に取られ必死になって譫言《うわごと》を言っていた。

まだだめ。もっとちゃんと言ってみて。

「ふっふっふっ」

佐伯は邪悪に思い出し笑いをした。あれは若気の至りだった。いまはもう、セックスも、改まった愛の言葉も、どうでもいい。ただ、説明を要求したい。コーヒーが泥味になり、怒りと疑念にかられる毎日を送るはめになっている私に対して、夫はなんと弁明するつもりなのか。私を納得させられる言葉と覚悟を、ちゃんと用意したうえでの所業なのか。

「楽に浮気できると思うなよ」

つぶやきはしばらく室内に浮遊したのち、佐伯以外のだれの耳にも届くことなく、黒い節に吸いこまれていった。

ギプスはまだ取れないが、夫はそろそろ腕を吊っていなくてもよくなり、繭ちゃんにやっと休みをあげられた。

佐伯はひさしぶりにのんびりと、「フラワーショップさえき」の店番をした。いや、のんびりとした風情《ふぜい》は外面《そとづら》だけで、心の内は焼け野原だった。

鎮痛剤を飲まなくなったとたん、夫の深夜の外出が再開していた。本当は、「いつもいつも、どこへ行ってるのよ！」と怒鳴って飛び起きたいのだが、佐伯は動かずに布団をかぶっている。

あんなに世話をしたのに。ギプスの隙間《すきま》から耳掻《か》きを突っこんで、垢《あか》まみれの肌を掻いてあげた。腕を吊る布がこすれた首筋に、軟膏《なんこう》を塗ってあげた。それなのに夫は、ちょっと身軽になったと思ったらもうこのざまだ。

ひびなんかじゃなく、腕も脚もへし折ってやればよかった。

九月の長雨が軒と通りを濡《ぬ》らしている。

必ず火曜日にやってくる艶《つや》やかな長い髪をした女が、この週もやはり現れた。繭ちゃんが「美容師さん」とあだなをつけた女だ。いつもどおり、シンプリーへブンという名のバラを五本買った。

佐伯はバラの茎を適当な長さで斜めに切り、おおげさにならない程度にラッピングした。女はおとなしく佐伯の手もとを眺めている。

「いつもの、もう一人の店員さんは？」

「このところ忙しかったので、今日は振り替え休暇です」

「そうですか」

女はバラの束を受け取り、わずかに目で笑った。「それならいいんです。風邪《かぜ》でも引かれたのかと思って」

「急に涼しくなりましたもんねえ」

佐伯はそつなく応対しながら、内心では、「やっぱりこのひと、繭ちゃんに気があるのかも」と思った。女はドア口に向かいかけ、少し躊躇《ちゅうちょ》を見せつつ佐伯を振り返った。

「信じてもらえないかもしれませんけど」

と女は言った。「私、料理を食べると、それを作ったひとがやましいことをしているかどうかがわかるんです」

どう答えていいのか判断に迷い、佐伯は「はあ」とまぬけに口を開けた。

「夏に一度だけ、こちらの喫茶店でコーヒーを飲みました」

「まあ、ありがとうございます」

反射的な佐伯の礼に押しかぶせるように、

「味が妙でした」

と女はささやいた。「生ぐさい泥みたいな味」

あぜんとする佐伯に会釈して、女は店を出ていこうとした。

「待って！」

思わず鋭く呼び止めてから、佐伯は声のトーンを落とした。「待って、どうして私に言うの？」

女は答えあぐねる様子で、

「気を悪くさせてしまったら、ごめんなさい」

とだけ言った。

「そうじゃなく」

佐伯は首を振り、質問を変えた。「生ぐさい泥の味がするコーヒーをいれるひとは、どんなやましいことをしてると思う？」

「苦情ではないんです。においを嗅《か》ぎわけるように、私の舌が勝手にそう感じただけで」

余計なことを言った、と後悔しているらしいことが、女の態度からありありとうかがわれた。「なんとなく、あなたがどんどん追いつめられていっているように見えたから、つい言ってしまいました。すみません」

「謝らないで」

佐伯は女に一歩近づいた。「私もずっと、夫のいれるコーヒーは泥の味がすると思っていた。その理由もわかっているつもりです。だから教えて。どんなやましいこと？」

あと一押しが欲しいと願っていたところだ。夫を尾行するにはプライドが邪魔をしたし、決定的な場面を見たくないと尻込《しりご》みする気持ちもあった。

料理の味から作り手のやましさを感じ取れるなど、ふだんなら信じない。思いこみの激しい、おかしな女だと一蹴《いっしゅう》しただろう。だが、夫の泥味コーヒーを、佐伯以外にたぶん世界でただ一人味わったひとなのだと知ったら、この機を逃したくないという思いが勝《まさ》った。

「たぶん、あなたの考えているとおりです」女はややして、低く言った。「泥みたいな味がするときは、私の経験上、浮気をしています」

たとえいつか死ぬとわかっていても、いざ「三カ月以内に死ぬ」と予告されたら、突きつけられた現実にだれしも狼狽《ろうばい》し、虚脱するだろう。第三者から発された「浮気」という言葉は、それが本当か嘘《うそ》かわからぬうちから、佐伯に予想以上の打撃を与えた。

佐伯は作業用の小さな椅子《いす》に腰を下ろし、なにをするでもなく、雨の降る表を眺めていた。

「こんにちは」

ガラス戸を開け、休日のはずの繭ちゃんが入ってきた。「人手はたりてますか？」

「ああ、うん」

佐伯はぼんやりしたまま答えた。「わざわざ見にきてくれたの？　お休みなのに悪いわね」

「全然。伊藤さんも出張中だし、部屋にいても暇なんです」

繭ちゃんは人好きのする笑顔で言い、そこで佐伯の様子がおかしいことに気づいたようだ。「なにかあったんですか」

蘭ちゃんが来たのが見えたのだろう。夫が「喫茶さえき」からコーヒーを二つ運んできて、作業台に置いた。蘭ちゃんにちょっとうなずきかけ、再び奥のカウンターのなかに引っこむ。

佐伯は立って、蘭ちゃんに背中を向ける形でコーヒーカップを見下ろした。

「蘭ちゃん、お砂糖は入れるんだっけ」

「いえ、私はブラックで」

「そっか」

佐伯は蘭ちゃんに向き直り、黒々とした液体をたたえた器を手渡す。礼を言って受け取る蘭ちゃんを横目に見ながら、もとのとおり椅子に座る。蘭ちゃんも、佐伯の隣の椅子に腰かけている。今日は、左手にソーサーを持ち、右手でカップの取っ手を軽く握っている。

「いただきます」

蘭ちゃんがコーヒーに口をつけるのを待ち、

「変な味しない？」

と佐伯は聞いた。

「いいえ。なんでですか」

「さっき、スズランの根から抽出《ちゅうしゅつ》した毒を入れた」

蘭ちゃんは表情を変えなかった。コーヒーをもう一口飲んでから、カップをソーサーに置き、腕をのばして作業台へ戻す。それから繭ちゃんは、佐伯の顔をまっすぐに見た。

「佐伯さん、本当にどうしたんですか。なにか悩んでいるなら、言ってください」

佐伯は泣きそうになり、そのあと急に恥ずかしくなった。繭ちゃんの目にはくもりがない。佐伯が毒など入れるはずないと、信じきっている目だった。にもかかわらず、私はそんな繭ちゃんを疑い、試したのだと思うと、燃える紙みたいに体が熱くよじれた。

「ごめん！」

あまりにも勢いよく謝ったせいで、繭ちゃんが驚いて身をのけぞらせた。佐伯はかいつまんで、ここのところ自分が泥の味を感知しつづけていること、繭ちゃんをちょっと疑っていたこと、「美容師さん」が語ったことを説明した。

「ないです」

繭ちゃんは冷静に、自身に降りかかった浮気疑惑を否定した。そこまで断言されると、私の夫にまったく魅力がないみたいじゃないか。佐伯は少々憮然《ぶぜん》とした。繭ちゃんは「喫茶さえき」のほうをうかがってから、声をひそめて言った。

「マスターが浮気って、すぐには信じがたいです。なんか、うさんくさくありませんか。『美容師さん』じゃなくて、『エセ占い師』かも」

「だけど、うちの夫の浮気を指摘して、彼女になんの得がある？」

「はんこや壺《つぼ》を買わせるとか」

「はんこや壺でなんとかなるなら、買うかもね」

佐伯はややなげやりな気持ちで言った。繭ちゃんはそれでようやく、佐伯の言いぶんを真剣に検討しようという気になったようだ。

「私がマスターの浮気相手だって説は、とりあえず消去してください」

「うん、ごめん」

「そのうえで、ほかにだれかあやしいと思うひとはいるんですか?」

「夕方にしょっちゅう喫茶店のほうに来る、牧野って娘《こ》、わかる? 髪は肩ぐらいまでで、ジーンズにTシャツなのにおしゃれにこだわりを感じさせる……」

「ああ、いますね」

繭ちゃんは脳内で記憶を再生したらしい。遠くを見る目になってうなずいた。

「いつもカウンター席に座ってる、二十代前半の」

「そう、それ!」

「現場を見たわけじゃないんですよね」

「でも、夫は私が眠るのを待ってベッドから抜けだすの。あやしいでしょ?」

「たしかに」

「牧野さんは、この近くのバーでバイトしてるらしいじゃない。絶対、そこへ行ってる」

「飲みに行ってるだけかもしれないですよ」

「帰ってきたあのひとから、お酒のにおいはしない」

「ただ話をしてるとか」

「そんなはずないでしょ。あの娘の夫を呼ぶ声ときたら、『マァスタァ』って、ガラスも水飴《みずあめ》に変わる！」

「でもじゃあ、どこで」

と繭ちゃんは口ごもった。

「セックスしてるのかってこと？」

「はい」

「あの娘の部屋じゃないの」

「電車もない真夜中なのに、わざわざタクシーで移動？　どこに住んでるんですか？」

「知らない」

佐伯がひそひそ声で断じると、繭ちゃんは「うーん」とうなり、しばしなにやら考えていた。

「佐伯さん。マスターがなにをしているのか、真相を突きとめたくないですか」

「そうね、そうかも」

曖昧《あいまい》なままにしておくのは、もう疲れた。夫が打ち明けてくれるかもしれないなんて、甘いことを考えていたのが馬鹿だった。

実際のところ、「なーんだ」と気が抜けるような些細《ささい》な用事で、夫が外出している可能性だってある。浮気以外に、夜中にいったいどんな用事があるのか、咄嗟《とっさ》には思いつかないが。よしんば浮気だったとしても、真実が明らかになれば、佐伯はもっと優位に立てる。夫を遠まわしにじわじわいたぶり、ついに申し開きをせずにはいられなくなるまで、ゆっくり待つことだってできるだろう。

二カ月以上も悶々《もんもん》とした。そろそろ白黒はっきりさせていいころだ。

「じゃあ、あとをつけましょう」

繭ちゃんは力強く言った。「私もご一緒します。このままだと佐伯さん、ほんとにはんこや壺を買っちゃいそうですから」


繭ちゃんの部屋、給湯器が壊れたんですって。シャワーも使えないんじゃ不便だから、今夜、泊めてあげようと思うんだけど。

佐伯がそう持ちかけると、夫はなにも言わずうなずいた。

「木暮荘《こぐれそう》だったっけ？　ずいぶん年季《ねんき》の入ったアパートなんでしょ」

「そうなんですよ。外階段をだれかが上り下りするたびに、建物全体が揺れるぐらい」

三人で食卓を囲み、茄子《なす》の煮びたしや、換気扇を最大出力でまわしながら焼いたサンマを食べる。しゃべっていたのは主に佐伯と繭ちゃんだが、夫も繭ちゃんの来訪を喜んでいることはうかがわれた。大根おろしの入った器を繭ちゃんに手渡したり、率先してみそ汁のおかわりを注《つ》ぎに台所へ立ったりしている。喫茶店で一日じゅう調理をしたあとで、家でまでおさんどんはしたくないと、いつもは掃除と洗濯をちょっと手伝う程度なのに。

「うれしい、サンマ大好きです。今年はじめてだ」

繭ちゃんの明るい表情を見ていると、不思議な感慨が湧き起こった。繭ちゃんを生んだのが私だとしても、べつにおかしくはない年齢なんだ。

もし私たちに子どもがいたら、こんな感じだったのだろうか。もちろん、子どもがいても、いればなおさらに、楽しいことばかりではないだろう。でも、夫と二人きりで食卓を挟み、迫りくる沈黙を振り払うように一生懸命話題を探すことは、しなくて済んだんじゃないか。

二人だけで維持しつづける濃厚な磁場に、夫は疲れを感じたのかもしれない。少しのあいだ、逃げ場が欲しくなったのかもしれない。二酸化炭素でいっぱいになった水槽から、魚が必死に顔を出して口をぱくつかせるみたいに。

だからといって、「はいそうですか」と許せるものではないけれど。

食卓を隅に寄せ、繭ちゃんには茶の間に敷いた布団で寝てもらうことにした。順繰りに風呂を使ったあと、「おやすみ」を言い交わし、佐伯は夫と寝室に引きあげる。

「楽しかったね」

仰向けの姿勢で佐伯が言うと、

「ああ」

と隣のベッドから夫が答えた。

楽しかった夜に、わざわざ家を抜けだすことはないかもしれない。

佐伯はそう考えていたのだが、深夜一時過ぎに、夫は静かに身を起こした。こちらをうかがう気配がある。佐伯はいつも以上に鼓動を激しくしながら、寝たふりをした。

夫は足音もなく寝室から出て、階段を下りていく。一階の裏口に向かう気配を耳で追いながら、佐伯も急いで起きだした。

細い廊下の向かい、茶の間の襖《ふすま》を軽く叩《たた》くと、繭ちゃんがすぐに顔を出した。貸したパジャマから洋服に着替え済みだ。

「いまの、やっぱりマスターですか」

出る出ると言われていた幽霊に、本当に遭遇してしまった。そんな感じに、繭ちゃんの表情は強張《こわば》っていた。

「追いかけましょう」

「うん。でも私、パジャマのままだ」

「カーディガンを羽織れば、夜だし、ひともそんなにいないはずだから大丈夫ですよ」

裏口が開閉する音がした。佐伯は繭ちゃんに手を引っぱられ、階段を下りた。

「マスターは着替えてから出ていってるんですか?」

「ううん。あのひと昔から、寝るときはTシャツにスウェットの長ズボンだから。そのまま外に出ても、まあそれほどおかしくはない」

「でも、遠出する服装でもありませんね」

「そうねえ。じゃあ、ものすごく近場で落ちあって、ものすごく近場で用を済ませてるのかな」

などと小声で言いあいながら、裏口から路地を覗く。夫は健康サンダルを履《は》いて、家から二つ目の角を曲がるところだった。佐伯と繭ちゃんもあわてて靴を履き、こっそりあとを追った。

夫はタクシーを拾うつもりかもしれない。財布だけは急いでひっつかんできたけれど、はたしていくら入っていただろう。

佐伯の懸念をよそに、夫は大通りには足を向けなかった。外苑西《がいえんにし》通りの南側に細くのびる、密集した古い住宅街の入り組んだ路地を歩いていく。

深夜の追跡劇は、「喫茶さえき」から徒歩三分の距離で終了した。夫が立ち止まったのは、終夜営業のバーのまえだった。佐伯と繭ちゃんは、ブロック塀《べい》の角に隠れて様子をうかがう。

バーは、外壁が白いタイルで覆《おお》われたマンションの一階にあった。住民用のエントランスの横に、ドアがべつに設けられている。重厚な鉄製で、一階の外壁には窓もないので、内部の様子はうかがえない。路面には、これまた鉄製のしゃれた看板らしきものが置かれていたが、暗くて店名がよく見えない。「ＢＡＲ」という文字がかろうじて読み取れたので、「バーなのか」と判明した。総じて隠《かく》れ家《が》風のつくりだ。

佐伯はかねてより、そのマンションの存在にも、一階がなにかの店舗になっているらしいことにも気づいていたが、バーだとははじめて知った。日のあるうちは看板が出ていなかったし、早起きしなければならないので、夜の散歩をしたことなどなかったからだ。

五分ほどしてバーのドアが開き、牧野が現れた。真夜中だというのに、わざとらしくはしゃいだ声で、

「ごめんね、お待たせ。今日はお客さん多くて、休憩入るの遅くなっちゃった」

と佐伯の夫の手を取る。夫はあいかわらず黙ってうなずき、牧野に腕を引かれるまま、再び路地を進みはじめた。

実際に親しげな二人を目にしても、予想したほどの衝撃は感じなかった。ただ、腹の底がひんやりと重くなった。

どうやら私は怒っているらしい。

佐伯は冷静に自身の感情を把握し、繭ちゃんをうながした。

「行こう」

夫と牧野は、表参道《おもてさんどう》方面へ向かって五分ほど歩いた。ゆるやかな上り坂になっていて、道の両側は鬱蒼《うっそう》とした庭木を擁《よう》したお屋敷街だ。大通りから一本裏道に入っただけで、東京の中心部にもまだ古い邸宅が残っている。学生時代に愛媛《えひめ》から上京してきた佐伯にはピンと来ないが、夫の父親は生前、よく言っていた。「俺が子どものころは、野

っぱらにぽつぽつ家が建ってるぐらいで、このあたりは東京の郊外だったよ。戦争が終わってしばらくしてから、いつのまにかしゃれた店が集まりだした」

坂のなかほどに、銭湯のような外観の木造共同住宅がある。アパートほどには各部屋の独立性が高くない。建物の玄関に下駄箱《げたばこ》が設置され、廊下に共用のトイレと洗面所があるような、いまとなってはめずらしい部類の賃貸物件だ。以前はどこかの企業の社宅だったらしい。地の利がいいのと、おんぼろで家賃が割安なため、若いひとがけっこう借りるのだと、佐伯は近所に住む店の常連から聞いたことがあった。

佐伯の夫と牧野は、磨《す》りガラスのはまった玄関の引き戸を開け、そのおんぼろ共同住宅に入っていった。

「どうしましょうか」

「十分待って」

建物の向かいの電柱の根もとで、佐伯と繭ちゃんは突っ立っていた。繭ちゃんは場の雰囲気をなごませたいと思ったのか、

「築何十年なんでしょうね、これ」

と言った。「木暮荘といい勝負です」

佐伯は答えなかった。繭ちゃんも、この状況ではどんな気休めも意味をなさないと思い直したのだろう。話しかけてこなくなった。

共同住宅にいくつか灯《とも》る部屋の明かりを、佐伯は目が痛くなるほど見つめた。夫が牧

野と深夜に会っていた。一緒に古い建物に入っていった。自宅からすぐ近くの！　どこまでひとを馬鹿にするつもりなのか。

この期《ご》に及んで、「二人は部屋で話をしているだけかもしれない」と思おうとする心が不思議だ。そんな予想外の行動で佐伯を喜ばすような、気のきいた男ではないとわかっているのに。

牧野は、ここに住みたがるような女には見えない。たぶん夫が、この時代遅れの建物の一室を、牧野と寝るためだけに借りたのだろう。バーでのアルバイトの休憩時間。それを夫と牧野は、あわただしくも刺激的なセックスにあてている。

夕方に「喫茶さえき」に来る牧野に、夫はどんな合図を出すのだろう。今日は寝よう。今日は行かない。常連客や佐伯の目を盗んで、いったいどんな。ソーサーに載せるスプーンの向きか。お釣りとともにメモを握らせるのか。

それとも、コーヒーの味が暗号か。

池みたいに生ぐさい泥の味のときは、夜に会う。砂を溶かしたようにざらついた泥の味のときは、妻がうるさいので行けない。

もしかして、そういうことだったのか。

佐伯は嫉妬《しっと》と被害妄想と屈辱に身を震わせる。

「佐伯さん、十分経《た》ちましたけど」

繭ちゃんが畏《おそ》れをなしたようにおずおずと声をかけてきた。

「よし、乗りこむ」

「でも、部屋がわかりませんよ」

「すぐわかる。声が聞こえた部屋に二人はいるはず」

「セックスしてるのはほかの住人かもしれないじゃないですか。それに佐伯さん、パジャマです」

「パジャマがなんだ！　行くよ、繭ちゃん！」

必死に留《とど》めようとする繭ちゃんを振りきり、佐伯は引き戸を開け、土足のまま廊下に上がった。廊下の両側に、合計五部屋が並んでいた。テレビの音は漏《も》れ聞こえるが、人声はしない。

廊下を取って返し、玄関を入ってすぐにある階段を上る。繭ちゃんは「やめましょうよ」と言いつつ、佐伯を見放すこともしがたいらしく、おろおろしながらついてきた。

二階も一階と同じつくりだった。佐伯は一部屋一部屋、ドアに耳を押し当てる。廊下の左側、真ん中の部屋から女の声が聞こえた。

真鍮《しんちゅう》製らしきドアノブをまわす。鍵《かぎ》がかかっている。佐伯は足を振りあげ、思いきりドアを蹴りつけた。

「警察を呼ばれちゃいますから！」

繭ちゃんが背後でうわずった声をあげる。細い柱に取りつけられた蝶番《ちょうつがい》が、二、三回目であっけなく吹き飛んだ。内側へ傾いたドアを完全に蹴倒《けたお》し、佐伯は部屋に踏み入った。

ひとちがいならどんなにいいだろう。

そう願ったにもかかわらず、布団しかない六畳で怯《おび》えたように、破壊されたドアおよび佐伯を見ているのは、裸の夫と牧野なのだった。

「ばれてないと思ってた?」

佐伯は夫の顔を見、急速に縮んだらしいペニスを見た。佐伯は身をかがめ、夫のペニスからコンドームをつまみ取って、牧野の腿《もも》に弾《はじ》き飛ばした。

騒ぎに驚いた住人たちが、戸口に集まりはじめている。「すみません、ドアは弁償しますから」と、繭ちゃんが頭を下げているようだ。

夫は黙ってうつむいている。牧野はコンドームを払い落とし、ふてくされた表情で上掛けを胸もとまで引っぱりあげた。

ここがこらえどころだ。夫を楽になどしてやるものか。

佐伯はそういう決意で夫のまえに立ちはだかっていたのだが、あまりにも無言が長く、遠くからサイレンの音も聞こえてきたので、ついに耐えきれなくなって言ってしまった。

「どうしたいのよ。別れたいなら、あんたなんか熨斗《のし》つけてその女にくれてやる。でも家と店と土地は私がもらうからね。どうなの!」

佐伯の言葉が起動のスイッチとなったのか、夫は鞭打《むちう》たれた馬のごとく体を波立たせ、布団から畳へ正座の姿勢ですべり下りた。そしてそのまま、土下座する。

「うわ、リアルではじめて見た」

と牧野がつぶやいた。

佐伯は夫の肩に靴を履いたままの足を載せた。

「どういう意味の土下座。別れてくれ頼む、ってこと？　別れないでくれ頼む、ってこと？」

夫は顔を上げない。口も開かない。佐伯と牧野の出かたをうかがっている。

佐伯にはもう、わかっていた。

こんななさけない、妻に浮気現場へ乗りこまれるような男と、本気でつきあいつづけるつもりなど牧野にはない。きっとはじめから、少しは小遣いをくれるし、セックスのたびに貧乏ごっこができてスリルがあるし、ぐらいの気持ちだったのだろう。その証拠に、牧野は佐伯の夫の土下座姿にも飽きたらしく、脱ぎ捨てた服との距離を目で測っている。

わかっていた。私の負けだ。部屋に踏みこみ、夫に向かって言葉を投げかけた時点で、負けていた。夫に選択肢を与えてしまったのだから。どちらを選ぶのが得か、考える猶予《ゆうよ》を授けてしまったのだから。

肩に載せた足を、そのまま夫の腕へすべらせた。靴底の泥をなすりつけるように。固いギプスの感触がする。

佐伯の靴は夫の治りかけの下膊《かはく》を過ぎ、畳についた手の甲へと達した。踏みにじってやれたらすっきりするだろう。

サイレンがいよいよ近づいてきた。警察官に言い訳するのが一苦労だ。

夫は動かない。佐伯は白いものの混じりはじめた夫の頭を、出会ったころから変わらぬつむじの形を、眺め下ろした。靴先で、夫の手の甲を軽くなぞる。

「私と一緒に帰るでしょう?」

夫は空《あ》いているほうの手をゆっくり動かし、自分に載せられた佐伯の足を、靴のうえから優しく包んだ。

穴

覗《のぞ》き見は気持ちがいい。目だけの生き物になるようだからだ。小さな穴に右目を押し当て、あとはもうなにも感じず考えず、視界いっぱいに広がった他人の生活にひたる。同じアパートに住む、名前も知らない女子大生。その暮らしを天井から観察するのは、なんという法律に反するのかわからないが、明らかに犯罪だろう。しかも、わざわざ空室に忍びこんで覗いている。不法侵入の罪もプラスされるはずだ。

でもやめられない。

木暮荘《こぐれそう》は、小田急線《おだきゅう》の世田谷代田《せたがやだいた》駅から歩いて五分ほどの距離にある。古い木造アパートなので家賃が安い。神崎《かんざき》は就職を契機に、二年前に二〇一号室に引っ越してきた。窓からは草の繁《しげ》った庭が見え、部屋には押入もトイレもシャワーブースも一応は独立した台所もついているのだが、神崎は不満でならなかった。こんなにぼろいんじゃ、恥ずかしくて女も呼べやしない。六畳間で舌打ちしながら寝起きした。神崎には、庭は手入れの行き届いていないただの荒れ野に思えたし、いかにもあとづけのシャワーブース（しかも洋服量販店のフィッティングルームなみに狭い）も、白く濁《にご》った安っぽいステンレスのシンク（しかも微妙に位置が低くて腰にくる）も、いまいましい以外のなにものでもなかった。

さらにいまいましいのが、ほかの部屋の生活音が筒抜けなことだ。

神崎が入居した当初、木暮荘は全六室のうち半分しか埋まっていなかった。ひとつは、神崎の部屋から一室おいた並びにある二〇三号室。もうひとつは、神崎の部屋の斜め下にあたる一〇二号室。

つまり、隣《となり》にも真下にも住人はいないにもかかわらず、よその部屋のテレビの音が母親の小言《こごと》ぐらいはっきり聞こえ、トイレを流す音も耳もとに滝があるかのように轟《とどろ》くのだった。

ええい、うるさい。神崎は壁を叩《たた》いたり畳を踏み鳴らしたりして抗議したが、騒音の原因である住人はまるで意に介さない。それどころか、「ああん、ああん」と恥知らずな甘ったるい声まで聞こえてくる始末だ。

二〇三号室に住むのは、地味な感じの勤め人の女。一〇二号室に住むのは、派手な感じの女子大生。騒々しいのは、はたしてどちらだ。もしかして、どっちもか。神崎は耳をそばだて、騒音源の特定に努めたのだが、音はアパート全体に反響し、主にどちらから聞こえてくるのかは判断しかねた。

疲れて帰宅し、さあ寝ようと布団に入ったら「ああん、ああん」。休日ぐらいビール片手にのんびりとテレビでナイター観戦したいのに、それをかき消す大音量ではじまる大河ドラマのテーマ曲。もういやだ。

こんな最悪な住環境で我慢しなければならないのは、思いどおりの会社に就職できなかったからだ。本当は大きなビール会社とか大きな自動車会社とか大きな銀行とか、とにかく大きくて堅実そうなところに入りたかったのに、内定が出たのは外食産業のなかの中ぐらいの規模の一社だけだった。

大学の同級生には、公務員になったり家業の会社を継いだりしたものも多い。あいつらは余裕のある安泰《あんたい》な一生を送るのかと思うと、悔《くや》しくてたまらない。

とりあえず、数年の我慢だ。神崎は自分に言い聞かせた。いまの給料では、見栄《みえ》を張って新築のマンションを借りるには心もとない。三カ月間の現場研修を終えた神崎は、「本社統括センター」に配属されたので、全国に散らばる系列のファミリーレストランや居酒屋へ出張することが多い。月の三分の一は出張先のホテルで寝泊まりするのだから、自分の部屋に金をかけるのもばからしかった。

本社統括センターは、名称だけを聞けばなんだか恰好《かっこう》いいが、実質的には現場から上がってくる苦情やトラブルをさばく係だ。本社からまわされる食材の量が実状と合わないとか、学生アルバイトの確保が困難だとか、ジュースに虫が入っていたと客が難癖《なんくせ》をつけてきて手に負えないとか、そんなようなことだ。

そのまま上司に取り次ぐと、「神崎くん、なぜ会社がきみに給料を払っているのか、よく考えてみてくれ」と言われる。神崎は最大限の体力と気配りを発揮して、店の苦情に神妙な顔をして耳を傾け、本社と店のあいだをうまく取り持たなければならなかった。

辞《や》めてやる、と入社半年で決心した。給料が劇的に上がる可能性もなさそうだし、税理士の資格でも取って会社とおさらばしよう。

将来の独立を見据《みす》えれば、貯《たくわ》えはいくらあってもたりない。神崎は木暮荘に住むことで家賃を節約し、税理士資格取得に向けて独学している。

数字に強いほうだとはいえ、会社で働きつつ勉強もするのは大変だし、自室ではいまいち集中できない。音漏《も》れが激しいせいだ。せっかくテキストに取り組もうとしているのに、「ああん、ああん」とやられては、いらいらすることこのうえない。

一年ほどまえの日曜日、それは木暮荘に入居して半年が経《た》った十月のことだったが、神崎は吸引力を「強」にして掃除機をかけていた。騒音には騒音を、だ。

そのころには、神崎の真下の部屋に新たな人物が入居していた。木暮荘の大家であるじいさんだ。少し耳が遠いのか、これまたテレビの音がうるさい。大声で電話をしたり、「うぇっふ、うぇっふ」と唐突に咳払《せきばら》いしたりもする。以前からの生活音とあいまって、住環境はますます悪化の一途《いっと》をたどっている。心静かに資格の勉強をしたい神崎は、抗議と怒りをこめて掃除機を稼動させるところから、休日の朝をはじめることにしていた。

ものが少ない部屋の掃除は、すぐに終わる。掃除機のスイッチを切った神崎は、階下から聞こえるテレビの音が、なおさら大きくなっていることに気づいた。朝っぱらから響いた「ああん、ああん」はさすがに終息していたが、男女がなにやら語らいながら部屋を出て、破れそうな勢いでドアを閉め、外廊下を去っていく気配がした。

掃除機作戦が失敗に終わるのはいつものことだ。他人が立てる物音に寛容なのは美点だが、自身も遠慮会釈《えしやく》なく物音を立てる。木暮荘の住人は、音に対して鈍感すぎる。

神崎は腹を立て、掃除機を押入に突っこんだ。無精《ぶしよう》してノズルを縮めなかったものだから、奥の壁にメリッと突き当たる感触がした。

あわてて押入の下の段に体を入れ、状況を検分する。窪《くぼ》みができた程度だろうと、神崎は木暮荘の安普請《やすぶしん》ぶりを甘く見ていたのだが、壁にはしっかり穴が空《あ》いてしまっていた。おそるおそる穴から覗いた向こう側は、真っ暗だった。

神崎の部屋の押入と、隣室の押入とは、板一枚で仕切られているだけだと判明した。どんだけ壁が薄い建物なんだ！

神崎は憤然とした。この調子では、音が漏れるのも隙間風《すきまかぜ》がひどいのも当然だ。地震が来たらひとたまりもないだろう。まったく、こんな建物に金を取ってひとを住まわせるとは、どういうことだ。

とにかく証拠隠滅《いんめつ》のために、早急に穴をふさぐ必要がある。だが、日曜大工の道具など持っていない。ホームセンターに板とトンカチと釘《くぎ》を買いに行かなければ。

そう考え、押入から出ようとした神崎は、「待てよ」と動きを止めた。

どうせ隣は空室だ。そして俺は、格安とはいえ家賃を払ってこの欠陥《けっかん》住宅に住んでいる。もう一部屋ぐらい占拠しても、罰《ばち》は当たらないのではないか。たぶん、ぼろぼろのアパートにあえて入居したがる物好きはそうはいない。だれかが下見に訪れる徴候《ちょうこう》があったときには、さっさと隣室から撤収すればいいし、もし見つかったら潔《いさぎよ》く謝ろう。

神崎は押入の奥に空いた穴を、蹴破《けやぶ》ってさらに拡大した。穴をくぐり、隣室の押入に侵入する。襖《ふすま》を内側からそっと開けると、そこはもう二〇二号室の六畳だった。

長らくひとが住んでいないからか、黴《かび》くさく、畳は日に焼けて毛羽《けば》立っていた。庭に面した窓には、まえの住人が残していったらしいカーテンが吊《つる》されたままだ。色あせた水色のカーテンは閉まっていたが、外の光を十二分に室内に取りこんでいる。

押入を通って自室に取って返し、濡《ぬ》らした雑巾《ぞうきん》を持ってきた。古畳に積もった埃《ほこり》をざっと拭《ふ》く。次に、自分の部屋の押入から二〇二号室の押入に衣類を移した。神崎は自室で喫煙するので、どうもスーツに煙草《たばこ》のにおいが染《し》みつくようで、ちょうど気になっていたところだった。隣室に服を隔離《かくり》しておけば、自分の部屋で思うぞんぶん煙草を吸える。

使っていたつっぱり棒まで移設して、隣室の押入に勝手にクローゼットを作った神崎は、至極満足して古畳に寝そべった。

穴をくぐって、本来は自分の領域ではない空間に忍びこむ。薄暗い昂揚《こうよう》が胸に萌《きざ》した。子どものころ、原っぱに作った秘密基地みたいだ。

隠《かく》れ家《が》って感じがして、なかなかいいじゃないか。

そういえば、この部屋の隣は二〇三号室だ。地味な女が住んでいる。薄い壁一枚で隔《へだ》てられているだけだから、ここで耳を澄ませば、「ああん、ああん」の正体が地味な女なのかそうじゃないのか、はっきりするはずだ。

この日から、神崎の盗み聞き生活がはじまった。

ガラスのコップを二〇二号室に持ちこんだ神崎は、それを二〇三号室との境の壁に当て、地味な女の立てる音に聞き入った。女はシフト制で働いているのか、曜日に関係なく仕事に出かけ、帰ってくる時間もまちまちだった。だが、おおかた夜の九時には部屋におり、テレビを見たり、料理をしながら鼻歌を歌ったり、ごくたまに電話で友人らしき相手としゃべったりした。

男の気配はまるでない。

最初はうきうきしていた神崎も、すぐに飽《あ》きた。地味な女にふさわしい、地味な生活。なにを楽しみに生きてるんだかと思い、会社から帰宅して早々に他人の生活を盗み聞く俺も同類かと苦笑いした。

さて、これで「ああん、ああん」の発生源が、一〇二号室の女子大生だと確定できた。神崎が忍びこんだ二〇二号室の真下の部屋だが、畳に耳を押しつけても、さすがに物音は明瞭には聞こえない。自室にいるときに聞こえるのと、同じ程度の音量だ。

男を連れこみ、浮かれた暮らしを送る女子大生。俺が知りたいのは、聴覚ではなく視覚で得られる情報だ。神崎はさして迷うことなく、二〇二号室の畳を上げてみようと決めた。

罪の意識は薄かった。神崎は、階下に住む女子大生がきらいだった。アパートの敷地内ですれちがっても、女子大生は神崎が蟻《あり》であるかのように無視した。たとえ神崎を踏みつぶしたって、女子大生は存在に気づかないだろう。それぐらい見事な無視だった。

一度だけ、女子大生が神崎に反応を示したことがあった。そのとき女子大生は、アパートの門口《かどぐち》から一階の外廊下に差しかかろうとしており、神崎は二階から外階段を下りきったところだった。携帯電話でだれかと話しながら歩いていた女子大生は、目のまえに突然、神崎が降って湧いた形になったので、「きゃっ」と短い叫びを上げた。驚かせたことを詫《わ》びようと、神崎は軽く会釈した。

女子大生は、すでに神崎を見てなどいなかった。携帯に向かって、

「ううん、平気平気。急におっさんが出てきたから、ちょいびびっただけ」

と言った。

だれがおっさんだ。女子大生に対する神崎の憎しみは増した。おまえとそう年は変わらないだろ。もし老けて見えるとしたら、それは俺が苦労して働いているからだ。三百メートルさきからでも聞こえるような甲高《かんだか》い声で、「えー、まじむかつかね？　でもさ、でもさ、それを言うなら松《ま》っつんだって相当のもんではあるけどー」などと、携帯に向かってしゃべるのに夢中になってるおまえは、注意力散漫で隙だらけで馬鹿まるだしの

浮かれポンチだ。

浮かれポンチの部屋を覗くのに、良心の呵責《かしゃく》を覚えることはない。

足音を立てないように二〇二号室へ侵入し、壁際の畳を一枚上げた。埃まみれの薄っぺらい床板をはずすと、案外ちゃんとした横木が見えた。その下はすぐ、一〇二号室の天井板だ。思ったとおり、板には節穴《ふしあな》がいくつも空いていた。

畳に腹這《はらば》いになり、身を乗りだして横木に両手をつく形で、穴に目を近づけた。見える見える。穴の真下は、ちょうど女子大生のベッドだった。どうやらいまは留守のようだ。

神崎は二〇二号室の畳と床板を順に上げ、覗きポイントにふさわしい節穴を三カ所見つけた。これからは資格の勉強の息抜きに、ちょくちょく観察することにしよう。感情といえばいらだちしかなかった無味乾燥な毎日が、刺激に満ちた非日常へ変わる予感がした。

天井から覗き見る女子大生の生活は、神崎にとっては衝撃以外のなにものでもなかった。

もちろん、学生時代に何人かの女とつきあった経験はある。しかし、兄しかいない神崎は、母親以外の女と長く一緒に暮らしたことがない。年の近い女、だれかの恋愛対象になってもおかしくない女が、ふだんどんな行動を取っているかなど、まったく想像の範囲外だった。

異性に対する幻想は打ち砕かれたと言っていいだろう。

風呂から上がった女子大生は、小さなパンツ一丁でベッドに座り、足の爪《つめ》を丁寧に塗った。爪が乾くのを待つあいだ、枕もとにあったシェーバーですね毛と腕毛を剃《そ》った。勢いづいたのか、女子大生は手鏡を取りだして腋毛《わきげ》もチェックした。生《は》えかかった毛を一本一本、毛抜きで抜く。抜いた毛は、ベッドに置いたティッシュに並べる。ついでに、眉毛《まゆげ》も毛抜きで整えた。

すごい。全身から、あんなに大量の毛を除去するのか。神崎は文字どおり、節穴に当てた目を離せなくなった。

体毛の手入れを終えるころには、足の爪が乾いたようだ。女子大生はようやく、ピンク色のパジャマを身につけ、今度は手の爪を塗りだした。深夜をまわっているが、寝るまでにはまだかかりそうだ。

「あー、やっぱネイルサロン行きたい」

女子大生は両手をかざし、爪の仕上がりを確認しながら独《ひと》り言《ごと》を言った。

そのあいだも、テレビはお笑い番組をかなりの音量で流しつづけている。ベッドに放られた携帯はひっきりなしにメールの着信を告げ、女子大生はそのいちいちに、猛烈な速さで返信を打つ。

しかし、そこまで念入りに爪と体毛の手入れをしたくせに、女子大生は結局、髪の毛は乾かさないままベッドに潜りこんだ。テレビも部屋の電気もつけっぱなしだ。

どうもよくわからない生き物だ。神崎は暗い部屋で一人、首をかしげた。眼下の女子大生は、たまに腹を掻《か》きながら安らかに眠っていた。

女子大生が部屋で食べるものも、神崎に驚きを呼び起こした。包丁もまな板もガスコンロも、女子大生はほとんど使わない。食事の用意ができると、ローテーブルに向かって床に座る。ベッドを背もたれがわりに、テレビと対面する位置だ。

ある日の夕飯は、皿に盛ったスナック菓子のドンタコスに、とろけるチーズをかけ、電子レンジでチンしたものだった。発泡酒を片手にテレビを見ながら、女子大生はチーズまみれのドンタコスをつまんだ。

べつの日の朝食は、カレー味のカール一袋だった。朝からスナック菓子を一袋、しかもベッドに寝そべったまま食べるのはいかがなものかと思ったが、もっと許しがたいのは、ちょうどかかってきた電話に対して甘ったるい声で、

「えー、いま？　カレー食べてた。ゆうべ、作りすぎちゃったんだ」

と言ったことだ。

カレー味のカールは、断じてカレーではない。

この自堕落な女にはつきあっている相手がいて、俺にはここ数年彼女がいないとは、理不尽かつ不公平だ。神崎は歯ぎしりした。

女子大生は三日に一度は脱毛し、五日に一度は爪を塗りかえるのに、部屋の掃除は二

週間に一度すればいいほうだ。掃除といっても、柄《え》のついたトイレットペーパー状のものを、コロコロと畳に転がすだけだ。ローテーブルの周辺には、ぼやけた色合いのラグが敷かれているが、窓辺に干すでもはたくでもない。コロコロで埃や髪の毛を取るのみである。

ダニの巣窟《そうくつ》ではないか。やや潔癖なところのある神崎は、怖気《おぞけ》をふるった。女子大生は、部屋でファッション雑誌を眺めながら、ふくらはぎのあたりをよく掻いている。流行のファッションを調べるまえに、脚にできた虫食いの跡《あと》をなくしたほうがいいと思うのだが、女子大生に痒《かゆ》みをもたらしている虫とはすなわち、ダニにちがいない。

神崎は次第に、覗くだけでは満足できなくなってきた。いますぐ、女子大生の生活を改善させたい。まともな料理を自炊し、ラグを天日《てんぴ》に当て、掃除の頻度《ひんど》と脱毛の頻度を逆転してほしい。自分ではできないというなら、俺が女子大生の部屋にお邪魔して、かわりにやってもいい。

神崎はもはや在所《ざいしょ》の母のごとく、女子大生の暮らしを心配し、気にかけるようになっていた。

いったいどういう教育、どういう躾《しつけ》をしたら、こんなにだらしない女ができあがるのか。畳に転がったテレビのリモコンを、女子大生は足で引き寄せている。神崎はため息をついた。いや、女とか男とかは関係ない。このだらしなさは、人間としてほとんど失格の域《いき》にある。親の顔が見たいとはこういうことかと、はじめて知った。

そういえば女子大生のもとには、親からの電話が一度もかかってきていないようだ。神崎が覗きをはじめて数カ月経っても、手紙を受け取った形跡もなかった。もちろん、神崎が見ていないときに連絡を取りあっているのかもしれないし、いまは親も携帯メールを駆使《くし》しているのかもしれない。

それにしても、と神崎は怪訝《けげん》に思う。神崎の母親は、神崎の携帯に月に一度は電話してくる。「元気でやってるの」とか、「お兄ちゃんのところ、二人目ができたみたい」とか、「最近、お父さんのいびきがますますうるさくて、母さん眠れなくてねえ」とか、どうでもいいことを一方的にしゃべってくる。鬱陶《うっとう》しいけれど、神崎は「うん、うん」とおとなしく相槌《あいづち》を打つ。薄給で一人暮らしをする息子を、母親が心配してくれているとわかるからだ。

どこの親も、うるさいぐらいに子どもをかまうものなんだと、神崎は漠然《ばくぜん》と考えていた。漠然と諦《あきら》め、おとなしく相槌を打っていた、とも言える。

だが、どうやらそうではない家もあるらしい。

頻繁《ひんぱん》にメールを打ち、スナック菓子を食べ、身だしなみばかり気にしているらしい女子大生のことを、神崎はいよいよ熱心に観察した。

俺よりずっとたくましく、でもたった一人で、彼女は生きている。

神崎の心に、憧《あこが》れのようなものが生じた。節穴から魂を抜き取られ、女子大生と一体化してしまいそうに感じられた。

資格の勉強は一向に進まず、しかしいつしかあせりは消えた。

会社の同僚にも、

「なんか最近、調子いいみたいじゃない」

と言われる。「彼女でもできた？」

「できませんよ。俺の住んでるアパート、ものすごくぼろいんですから。あの部屋に来てくれる女性なんて、まずいないでしょう」

そう答えながら、女子大生とつきあったらどんな感じだろうと夢想する。

女子大生は、木暮荘の古さにたじろいだりはしない。本人も住んでいるのだから、あたりまえだ。神崎の部屋にやってきた女子大生は、「へえ、二階のほうがやっぱ日当たりいいねえ」などと言い、一〇二号室とは間取りが反転した室内を物珍しげに見まわし、それからハンバーグか肉じゃがを作ってくれる。

いや、料理はできないんだった。神崎は夢想の途中で修正を入れる。ポテトチップスのコンソメとのり塩とバーベキュー味を砕いて「三色ご飯」などと饗《きょう》されたらいやだから、食事の仕度《したく》は俺がしよう。女子大生はそのあいだに洗濯機をまわす。「あたしのぶんも一緒に洗濯しちゃっていい？　あとで手分けして庭に干そうね」と微笑《ほほえ》む。

いいな、けっこう楽しいつきあいになりそうだ。

やにさがりながら、一〇二号室を覗く。女子大生のもとを、今夜は男が訪ねてきている。神崎が「彼氏二号」と呼び、女子大生は「さとちゃん」と呼んでいる男だ。たぶん大学生だろう。

ちなみに、彼氏一号は自由業風というかチンピラ風の二十代半ばの男で、彼氏三号は三十手前の気の小さそうなサラリーマンだった。一号と三号は気が向いたときにやってくるだけらしく、女子大生が実質的につきあっているのは、二号のさとちゃんだと言っていいようだ。

はじめのうちは神崎も、「三人の男をとっかえひっかえ連れこむとは嘆《なげ》かわしい」と、女子大生の父親を憑依《ひょうい》させたかのように悲憤した。次第にどうでもよくなった。どうでもいい。男が何人いようと、些細《ささい》なことだ。女子大生を愛するものも、女子大生が愛するものも、そのなかに一人もいないのならば。

神崎は覗いた。女子大生がベッドで、あるときはローテーブルを押しのけて床で、二号や一号や三号と抱きあうのを。女子大生は男が部屋に来ると、ほぼ必ずセックスした。時間帯を問わずに。昼でもカーテンを引くことなく、夜でも電気を消すことなく、光のなかにすべてをさらしてセックスした。

神崎は覗いた。どの男もが、自分のいいように動き、果て、口先だけの都合のいい言葉を吐いてさっさと帰っていくのを。女子大生が、やわらかく体勢を変え、男の背中や髪を従順に掻きむしり、甘えたりすねたりして自在に次回の約束を取りつけるのを。

たまに、俺の視線に女子大生は気づいているのではないか、と思うことがあった。男に揺さぶられながら、女子大生は冷えた目で天井の一点を見上げていた。神崎のひそむいるのだった。
天井を。

そのあいだ女子大生の唇からは、絶え間なく「ああん、ああん」という声が漏れていた。

二〇二号室で節穴を覗く神崎は、興奮すらもほとんど忘れ、女子大生のセックスに見入った。もちろん、ペニスは勃起《ぼっき》した。だが、血液のかわりに氷が詰まってカチコチになったみたいに、衝動とは遠い勃起だった。

眼下で大胆に、野蛮に絡《から》みあう男女の肉体。ただの肉塊。

どうして俺はいままで、少なからず女を満足させてきたなどとうぬぼれられたのだろう。女子大生は明らかに、一号二号三号のまえで演技していた。部屋で脱毛したりスナック菓子を食ったりしているときとは、まるでちがう。自らを追いこみ、なにかを怖《おそ》れ、スリルと緊張と媚《こ》びの入り交じった演技に没頭するふりをしていた。

一号二号三号がそれに気づかないのは、女子大生のことなどこれっぽっちも考えていないからだ。自分の快楽を追うのに夢中で、女の寒々《さむざむ》とした目を見過ごしている。あるいは最初から、ちょっと馬鹿っぽいし、どうせほかにも男がいるんだろうし、適当に遊べばいい相手だと開き直っているのかもしれない。

一号二号三号の姿は、神崎の姿でもあった。部屋を訪れ、セックスするまでは辛抱《しんぼう》強く愛想よく女と話す。セックスの最中は腰を動かすことしか考えず、終わるとすべてが面倒くさくなって素っ気なく帰る。言うだけはタダの言葉のみを残して。

べつに反省はしなかった。男って、どいつも俺と同じようなことをやってんだな、とおもしろく思い、女は怖《こわ》いなとも思った。このアングルから他人の部屋を定点観測しなければ、絶対に気づけなかった。「ああん、ああん」と女が身もだえていても、ほとんどが演技みたいだから、いい気にならないようにしよう。

なんだかむなしかった。カチコチになる股間と比例するように、むなしさも募《つの》った。

それでも女子大生を見つめつづける。

神崎は自分の目が、天井の穴から垂れさがるのではないかと思った。ゆっくりと落ちる滴《しずく》みたいに、よく伸びる柔らかい餅《もち》みたいに、熱く湿った氷柱《つらら》みたいに、神崎の眼球は穴を通り抜け、女子大生の肌に触れる。舐《な》めるように撫《な》でるように、優しく情熱的に肌をたどる。

一号二号三号にはできないやりかたで。これまで神崎が手で触れた女には、してやれなかったやりかたで。慎重に快楽の在処《ありか》を掘り起こし、喜ばせ、大丈夫だよとなだめてやりたい。すべて視線で。

神崎は目だけの生き物だ。目が生殖器であり、舌であり、指である。目で愛し、目で語り、目ですべてを感受する。

見えない圧《あつ》で女子大生の体をなぞる。神崎がそうすると、二号の下にいる女子大生はいつもより潤《うる》んだ目で天井を見上げるようだった。

冬は防寒用の毛布を持参し、暑くなってくると冷えピタを額《ひたい》と首筋に貼り、気づくともう一年近く覗きを続行している。

同僚の誘いを断って帰宅するので、予想よりも早く金は貯《た》まりつつある。だが、なんのために貯金をはじめたのだったか、すでに忘れた。税理士資格のためのテキストは、自室で埃をかぶっている。

木暮荘から出て、新しいマンションへ引っ越すなど、とんでもない。神崎がいま一番恐れるのは、木暮荘が取り壊しになったらどうしよう、ということだ。女子大生は、たぶん大学二年か三年生のはずだ。せめて女子大生が卒業するまでは、木暮荘には健在でいてほしかった。

覗き行為があまりにも生活の一部になったので、神崎は二〇二号室の節穴のない毎日、そこから女子大生の暮らしを観察しない毎日を、どうにも想像できなかった。そんな味気ない日々など想像したくもない。

女子大生がいないときでも、神崎は部屋を覗いた。ベッドカバーを何種類持っているかも、小さな箪笥《たんす》のなかにどんな服が入っているかも、鏡台に並べたマニキュアや化粧品の配置も、把握ずみだ。女子大生が部屋でなにかを探すそぶりをしていたら、本人よりも早く、「ああ、それならあそこにあるよ」と教えてあげられるほどだった。

もちろん実際は、女子大生が部屋のあちこちをひっくり返すのを、黙って節穴から眺めているだけだ。

部屋着から外出着に着替えるとき、女子大生はまずブラジャーをつけ、靴下かレギンスを穿《は》く。それから鏡台のまえで、スカートやカットソーをああでもないこうでもないと選んでいく。

自室ではブラジャーをしないのに、女子大生のおっぱいは形がいい。やや小ぶりだが、新鮮な果物みたいな弾力がありそうだ。

神崎はしかし、着替えのためにブラジャーとパンツと靴下だけを身につけた女子大生が、一番好きだった。まぬけな恰好で部屋をうろつくのを見ていると、「落ち着けよ」と笑いながら言ってやりたくなる。

いま探しているのは、きっとドライヤーだ。テレビの陰に置かれている。女子大生は気づかない。いつもは鏡台にあるのに、どこへやっただろうと、見当違いに台所などを探す。昨夜、テレビを見ながら髪を乾かそうとして、途中で気が変わって顔をパックしはじめ、ドライヤーはそのままテレビ台に置き忘れたのを、神崎はちゃんと知っていた。ものを定位置に戻さないから、しょっちゅうなにかを探すことになる。

ようやくドライヤーを発見した女子大生は、髪の毛をチョココロネ状に執拗《しつよう》にカールさせると、今度は化粧に取りかかった。

化粧の手順も、神崎はもう、目をつぶっていても思い浮かべられる。

化粧水を念入りに肌にはたきこみ、乳液を塗る。下地クリームを薄くのばしてから、コンシーラーで頬《ほお》のそばかすを消す。ファンデーションは、リキッドタイプのものを少量塗り、パウダータイプのもので仕上げる念の入れようだ。細密画《さいみつが》を描くようなペンさばきで眉を作り、異様に時間をかけてまつ毛を持ちあげ、アイラインを引く。アイシャドーによって、まぶたは光り物の魚に似た色と輝きを宿す。マスカラを何度も重ね塗りし、完全に乾くのを待つあいだ、目を見開いたまま頬紅を刷《は》く。きらきらした粉をまぶしたパフで、額と鼻筋を軽く叩く。最後にグロスで、油物を食べた直後みたいな唇にして、完成だ。

神崎はいままでつきあった相手に、「素顔のほうがかわいいよ」と言ってきた。それが褒《ほ》め言葉になると思っていたのだが、まったく迂闊《うかつ》なことだった。女がどんなに手間と蓄積した技術と金を費《つい》やして化粧するのかについて、神崎は無知すぎた。

俺が「素顔のほうが」云々《うんぬん》と言ったとき、歴代の彼女がなぜ微妙な顔つきをしたのか、やっとわかった。これほど気合いをこめ、時間をかけて化粧したのに、「素顔のほうが」などと言われても喜べまい。だいいち俺は、化粧でどれほど顔が変わるのか、よくわかっていなかった。俺が素顔だと思っていた彼女の顔は、いまにして思えば、薄化粧をし眉も描いた顔だった気がする。彼女はきっと、俺が寝こけているまに、ひそかに簡単な化粧をして朝を迎えていたのだろう。男のまえでは少しでもきれいな姿でいたいという女心から。

にもかかわらず、「素顔のほうがかわいいよ」と呑気《のんき》かつ無神経に言い放った自分を絞《し》め殺してやりたい。

しかし釈然としないのは、女子大生がたまに、部屋から一歩も出ない日でも、長時間かけて化粧をすることがある点だった。最初は、化粧の練習か、斬新《ざんしん》な配色を試してでもいるんだろう、と思っていたのだが、どうもそうでもないようだ。

いつもどおりの化粧をし、自分の顔をうれしそうに鏡に映《うつ》してチェックすると、あとは昼寝をしたり、めずらしく掃除をしたりする。

だれかに見せるため、もっと言えば男のために、女は化粧するのだとばかり神崎は思っていたが、もしかしたらちがうのかもしれない。ただ楽しいから、化粧した自分の顔が好きだから、女子大生は一人のときも思い立って化粧するのかもしれなかった。

そんなに楽しいことなら、俺も試してみてもいい。

女子大生の部屋にある化粧品の数々を眺め、神崎は化粧する自分を想像しようとした。残念ながら、あまりいい気分にはならなかった。

年が明け、春が過ぎ、夏が来るまでのあいだに、木暮荘にはいくつか変化があった。

ひとつは、地味な女の部屋に男が出入りするようになり、さらにもう一人の男までがやってきて、三角関係を形成したことだった。

神崎は再び壁にコップを当て、二〇三号室の様子をちょくちょく盗み聞きした。あとから来た男が出ていくことで、三角関係は決着したようだ。すごいな、と神崎は思った。堅実を絵に描いたような地味な女に、男が同時に二人も寄りついてくることがあるのか。俺もうかうかしていられないぞ、と希望を持った。

神崎の彼女いない歴は、三年目に突入しようとしていた。実戦からわずかでも離れると、すぐに勘が錆《さ》びついてしまうのが男女交際だ。それなのに、覗きにうつつを抜かしている場合だろうか。しかも、好みでもない女子大生を覗いて、時間を無駄にしていいわけがない。

神崎があせるのは、もうひとつの変化が女子大生のもとで起こっているからだ。

女子大生は、一号三号とは完全に手を切ったようだった。二号ひとすじで、以前にも増して部屋で「ああん、ああん」を繰《く》り広げる。二人のあいだでどんな話しあいをしたのか、それとも時間の経過が親密度を深めたのか、女子大生の声音《こわね》からは、演技の色合いが徐々に薄らぎつつあった。

好みではない。女子大生は決して神崎の好みではないが、二号との距離が近づいているのを目《ま》の当たりにすると、なぜだかいらつく。

女子大生の声がやわらぎ、視線が甘く濡れるようになったのは、俺が根気強く目で撫で、目で解きほぐしたからではないのか。俺の陰からの注視と努力を知らず、べつの男のまえで「ああん、ああん」と言ってみせる女子大生も、女子大生とのセックスがうまくいくようになったのは自身の実力だとでも言いたげに誇らしそうな二号も、どちらも気にくわない。

さらなる変化は、女子大生と大家のじいさんが急接近したことだ。どういう経緯があったのか、神崎は不幸にして出張中だったためわからないのだが、気づいたときには、二人は庭に面した窓辺に並んで座り、アイスを食べたり茶を飲んだりする仲になっていた。ジョンとかいう大家の飼い犬が、木暮荘の庭を元気に駆けまわっている。女子大生と大家は、笑いながらそれを見ている。

大変不愉快な事態だ。じじいの暮らしなんか覗いてもしかたがないと思い、これまで自室である二〇一号室の畳は上げずにいたが、その間隙《かんげき》を突かれた形だ。一〇一号室の大家の部屋で、女子大生はなにをしているのか。まさか、じじい相手に「ああん、ああん」とは言っていないはずだが、油断はできない。

地味な女に二人の男が言い寄ったように、浮かれポンチの女子大生にだって、世代を問わず複数の男が粉をかけたっておかしくない。手をこまねいてはいられない。

告白するか？

ふと、そんな思いつきが脳裏《のうり》に浮かび、神崎はあわてて振り払った。なんだ、告白って。ずっと覗いていました、とでも言うのか。それとも、すすす好きですなんて言ってしまったりするのか。

うわー、うわー、中学生じゃあるまいし。神崎は自室をのし歩く。なにを考えてるんだ、俺は。頭がどうかしてしまったんじゃないか。

十月になり、涼しいというより肌寒い気候だったが、神崎は窓を開けた。夕暮れの庭から、女子大生と大家の話し声がした。

「ねえ、じいさん。ジョンがまたちょっと汚れてきたみたいだよ」

「放っとけ。ジョンは五年以上、一回も風呂に入ってなかったんだ。ということは、あと五年はそのままで大丈夫だってことだ」

「えー。このあいだのトリマーのひとに、連絡してみようって」

なんということもない会話なのに、妙にいちゃいちゃしているように聞こえる。神崎は猛然と自室の畳を上げはじめた。じじいの部屋も覗いてやる。女子大生に関係するすべての人間の部屋を覗いてやる。

庭にいた大家が、

「なんだか二階がうるさいな」

と言い、女子大生が、

「早めの大掃除じゃない？」

と言った。

窓から流れ入った声で我に返り、神崎は畳のひっくり返った自室を見た。爆発しまくった地雷原、といった様相だ。

俺はおかしい。女子大生の部屋を覗くうち、目だけの生き物になり、脳や理性も目に収まるほどの容積しかなくなって、おかしな行動を取るようになってしまった。

いまや生活のこまごました部分まで知りつくした、女子大生のことしか考えられない。あんな浮かれポンチ、といくら蔑《さげす》んでみても、女子大生のまえに姿を現す勇気さえ持てず、かといって覗きをやめることもできずにいる。

神崎は粛々《しゆくしゆく》と自室の畳をもとどおりにした。それから、押入の穴をくぐって二〇二号室に行き、いつもどおり、階下の女子大生の部屋を目が痛くなるほど見つめた。

異変があったのは、その夜のことだった。

女子大生は爪を塗り終え、ベッドに入ってテレビを見ていた。また、つけっぱなしのまま眠ってしまうのだろう。

明日も会社がある。俺もそろそろ、部屋に戻って寝よう。神崎がそう思い、身を起こしかけたところで、一〇二号室のチャイムが鳴った。時刻はすでに深夜十二時になんなんとしている。こんな時間の来客など、ろくなものではないだろう。

出なくていい。神崎は節穴から念力を送ったのだが、女子大生は起きあがり、玄関のほうをうかがっている。

「……だれ？」

「俺だよ」

という声が、神崎の耳にもかすかに届いた。聞き覚えがある。三号だ。

なにをいまさら。開けなくていい。またも念力を送ったが、女子大生は今度も神崎の意に反した行動を取った。節穴の視野からはずれ、玄関へ歩いていく。

ドアの開く音がし、

「なあに」

「いいからちょっと」

「だめだよ。酔ってるの？」

「入れてくれって」

と少し押し問答があって、六畳間に男が入ってきた。スーツではなくポロシャツにチノパンといういけてない恰好だが、まちがいなく三号だ。三号のあとから、浮かない顔で女子大生も戻ってきた。

三号はローテーブルに向かって座り、テレビのチャンネルを勝手に替えた。スポーツニュースを眺めだす。

「ビールある？」

「お茶しかない」

「じゃ、それ」

台所にしばし引っこんだ女子大生は、麦茶らしきものが入ったコップを三号に手渡した。茶なんてやることないんだ。神崎はやきもきした。だいたい、その男とは別れたんじゃなかったのか。「出てって」とビシッと言ってやれ。そうしないから、ずるずると三人の男とつきあうはめになるんだろうが。

女子大生は浮かれポンチの本領を発揮し、はっきりした拒絶の言葉を述べることなく、「どうしたの」「なんかあったの」と、三号を中途半端に慮《おもんぱか》ってみせる。だめだだめだ。そうやって優しげな態度を取るから、男がつけあがるんだ。神崎は覗きをしながら髪の毛を掻きむしった。特別に優しかったわけでも、愛と思いやりに満ちたセックスをしたわけでもない男なのは明白なのに、女子大生は三号を受け入れようとしているらしい。来るもの拒《こば》まずの精神の持ち主なのか、断ると角《かど》が立つと思っているのか定かでないが、よくない雲行きだと神崎は思った。

「会社でちょっと失敗しちゃってさあ」

「えー、大変だね。大丈夫？」

「あんまり大丈夫じゃねえ。慰《なぐさ》めてくんない」

「えー、でも、別れようって言ったのは、せいちゃんのほうだよ」

「気が変わったの。やっぱおまえ、いい女だしさ。な、だめ？」

「えー」

なんという救いようのない会話だ。せいちゃんとかいう三号は、こんな調子でよく会社に入れたものだ。いい年をした男の言うこととも思えない。神崎は歯噛《はが》みした。だまされるなよ、女子大生。

ところが女子大生は、「えー」とためらってみせながらも、さしたる抵抗はせず、三号に誘導されるままベッドに転がった。

馬鹿馬鹿馬鹿！　なにをやってるんだ、蹴りあげろ。

神崎は声にならない叫びを発しつつ、しかし股間が条件反射でカチコチになりかけるのを感じた。正直に言って、無料でセックスを見物できるのはうれしい。だが、どう考えてもろくでもない三号に、女子大生が押し切られるのを見るのはちっともうれしくない。

相反する奔流《ほんりゅう》に揉《も》まれながら、神崎は節穴に目を押しつけていた。三号に組み敷かれた女子大生は、うつろな目で天井を見上げた。

中空で視線が合い、小さな火花が散ったようだった。静電気に指先を弾《はじ》かれたみたいに、女子大生の全身に生気が戻った。

「やめてよ」

女子大生は言った。三号が「なに」と不満そうに押さえつけたが、女子大生は身をよじり手足をばたつかせ、

「やめてよ！」

と怒鳴った。視線はずっと、節穴から覗く神崎の目に据えられている。神崎は一瞬動揺した。女子大生がとうとう、覗き行為に抗議の声を上げたのかと思ったからだ。だが、そうではないとすぐに判明した。

「離して、だれか助けて！　変態が部屋に入ってきた、ぎゃー！」

夜のしじまを切り裂く悲鳴。大家の部屋のドアが開閉し、

「おおい、どうした！　大丈夫か！」

と、女子大生の部屋のドアを叩く音がした。二〇三号室の地味な女が、外階段を駆け下りる足音もした。

神崎はそのときには、二〇二号室の水色のカーテンを引き開け、窓から庭に飛び下りていた。大家の飼い犬が鳴く。神崎は転がっていた拳大《こぶしだい》の石をつかみ、一〇二号室の窓ガラスを叩き割った。手を突っこんで窓の鍵《かぎ》を開け、室内に踏みこむ。

いつも天井から見ていた、自分の部屋よりもよく知る室内。化粧品、三号に踏まれてぐしゃぐしゃになったベッドカバー、菓子袋があふれそうなゴミ箱。

「警察を呼ぶぞ」

神崎は低く言った。ガラスを割ったときに怪我《けが》をしたようで、手からラグに血が落ちた。

三号は女子大生の体から腰を浮かし、ベッドのうえにへたりこんだ。

「な、なんだよ、あんた」

「このアパートの住人だ」

「こいつの男ってわけじゃないなら、関係ないだろ」

「おおありだ。近所迷惑なんだよ」

神崎は、やはりベッドに座りこんでいる女子大生に向き直った。「あんたもだ。テレビの音量はもうちょっと小さく。『ああん、ああん』も控えめにしてほしい」

「はい」

女子大生は素直にうなずいた。そのころには、大家が部屋から合い鍵を取ってきたらしく、一〇二号室の玄関ドアが開き、戸口に大家と地味な女が並んで推移を見守っていた。

三号は居心地悪そうにベッドから下り立ち、逃げ場を求めて室内をうろうろした。

「こいつの連絡先はわかってるのか」

と、神崎は女子大生に聞いた。

「うん、名前もお勤め先も知ってるけど」

「念のため、免許か社員証を見せてもらおうか。ほら、早く」

神崎が強くうながすと、三号は尻ポケットの財布から運転免許証を出した。神崎は携帯についたカメラで免許を撮影した。

「もし、今後このアパートの近くをうろつくことがあったら、すぐ通報するからな」

わかったら行け。投げ返された免許をつかみ止め、三号はあわてて玄関へ向かった。戸口にいた大家と地味な女を押しのけ、部屋を出ていく。

「なんて騒ぎだ」

と、大家が詰めていた息を吐いた。

「大丈夫？」

と、地味な女が尋ねた。女子大生はうなずく。俺はちっとも大丈夫じゃない、と神崎は思った。ガラスで切った右手が重く痛みはじめていた。

「とりあえず、窓は新聞紙かなんかでふさいでおけ」

大家が指示した。「明日、ガラス屋を手配する。おい、あんた。頼んだぞ」

大家に指名され、神崎は困惑した。

「え、俺がふさぐんですか」

「そりゃそうだ。あんたが破ったんだろ」

そのとおりではあるが、どうにも納得しきれない理屈だ。反論しようとした神崎は、重大なことに気づいた。

二〇二号室の窓から飛び下りてしまったから、自分の部屋に戻れない。二〇一号室も二〇二号室も、玄関のドアの鍵はかかったままだ。

「わかりました」

と、神崎はおとなしく引き下がった。「そのかわり、二〇一号室のスペアキーを貸してくれませんか」

「なんで」

「玄関の鍵を持たずに、窓から出たんです」

どの部屋の窓からかは、言わずにおいた。大家は鍵束から一本を選び、神崎に投げて寄越した。

「さあ、我々は休むとしよう」

大家は地味な女の背を押し、地味な女は神崎と女子大生に会釈して、それぞれの部屋へ帰っていった。

女子大生とともに一〇二号室に取り残された神崎は、とりあえず大家の言いつけどお

り、割れた窓ガラスをふさいだ。女子大生が新聞を取っていないことは知っていたから、

「雑誌ある？」

と聞き、分厚いファッション誌のページをちぎって、ガムテープで窓に貼りつけた。

血はもう止まりかけていたが、作業を終えると女子大生が手当してくれた。消毒液も包帯もないので、洗濯したばかりのタオルを傷口に巻き、ガムテープで固定するしかなかった。化膿《かのう》したら厄介《やっかい》だ。朝になったら、会社に行くまえに病院へ寄らなければならないだろう。

女子大生は少し落ち着いたのか、

「あったかいお茶でも飲んでって」

と言った。貞操の恩人であり、明らかに年上の神崎に対しても、敬語は使わないようだ。使えないのかもしれない。

女子大生の言葉づかいについては、あまり気にしないことに決めた。それよりも、女子大生の部屋で向かいあって座り、あったかいお茶を飲んでいること、同じ平面上でよく見ると、女子大生がけっこうかわいい顔をしていることのほうが、神崎にとっては気になるところだった。

「あのさ」

女子大生は気負いなく切りだした。「天井からいつも見てたの、あんただよね」

神崎は茶を噴《ふ》きそうになった。

「なんのことかわからない」

「ばっくれなくていいよ」

女子大生がベッドのうえの天井を指す。「けっこうばればれだから」

見上げるとたしかに、板張りの天井に空いた節穴は黒く目立った。そこに目が覗いていたら、眼球が部屋の光を白く弾《はじ》いて、すぐに気づかれてしまうだろう。女子大生の部屋はいつも、明かりがつきっぱなしだった。

覗くのに夢中で、覗いている自分が相手からどう見えているかについては、完全に失念していた。

「すみません」

神崎は畳に手をつき、頭を下げた。三号ではなく、自分こそが警察に突きだされてもおかしくない。

しかし女子大生は、

「いいよ」

と軽く言った。神崎にとっては、驚くべきことに。

「『あ、覗かれてるな』って気づいてから、なんか妙に楽しかったんだ。見られてるなら、あんまり乱れた男関係も恥ずかしいなと思うようになったし、エッチのときの刺激も増したし」

なんと。神崎は細い糸に取りすがるように、女子大生に尋ねた。

「じゃあ、これからも覗いていい？」

覗きの楽しさと喜びを奪われたら、神崎は活力を失ってしまう。せっかく女子大生とこうして言葉を交わせたのに、また遠ざかり、今度こそ天井から姿を垣間見《かいまみ》ることすらかなわなくなってしまう。

「これからは、穴は紙でふさぐ」

女子大生はしかつめらしく答えた。神崎は失望し、しかしなおも、なさけなくおこぼれの餌《えさ》を待った。犬か猿に芸を仕込む調教師のように、女子大生は冷静だが親身な眼差《まなざ》しで神崎を観察した。

「でも、紙がはずれている日は、覗いてもいいよ」

いつのまにか神崎は、拝《おが》むように両手を合わせていた。神崎を神崎たらしめる目に安堵《あんど》の涙がにじみ、視界がくもった。

手に巻いたタオルで、さりげなく目もとを拭《ぬぐ》う。まばたきの向こうに見えたのは、女子大生のほがらかな笑顔だった。

ピース

光子《みつこ》は自分の名前がきらいだ。

いまどきこんなださい響きの名を持つ子なんて、そういない。友人の多くはエリナとかマユカとか、とにかく最後が「コ」じゃない名前だ。

「光」の「子」という漢字も気にくわない。あたしの人生のどこに光がある。なんかの嫌みだろうかと腹が立つ。光子に光子と名をつけたのは父方の祖母で、祖母は死ぬまで光子のことをたいそうかわいがってくれたが、たまに墓から骨壺《こつつぼ》を掘り起こして「ふざけんな」と粉になるまで揺さぶってやりたい気持ちになる。

でも、ごくたまにだ。ほとんどの場合、「おばあちゃんが生きてればなあ」と考える。祖母が健在であれば、少しはさびしくなかったかもしれない。光子の携帯に様子うかがいの電話がしょっちゅうかかってきたはずだし、正月に帰省したときには光子の話をにこにこ聞いてお年玉をくれたはずだし、レポートが大変だと愚痴《ぐち》をこぼせば黒飴《くろあめ》を差しだして励ましてくれたはずだ。

べつに飴が欲しい年でもないけれど。

冬が近づき厚着をするようになって、油断したのか最近少し太ってしまった。このあいだ聡《さとし》に、「おまえ、腹に肉ついたっぽい」と言われた。直後に、「いや、それもかわいっけど」とフォローされたが、甘いものは控えるようにしている。

祖母は茶簞笥《ちゃだんす》のうえに煎餅《せんべい》の缶《かん》を置いていて、なかにはカリントウやら黒飴やらの袋が入っていた。黒糖の味が好きだったのかもしれない。光子が小学校から帰ったその足で四畳半を覗《のぞ》くと、祖母はたいていテレビを見ており、光子に菓子を勧めた。

実家の祖母の部屋はとうに物置になっている。黒飴はもうずいぶん食べていない。

コンビニやスーパーで飴の棚《たな》が目に入るたび、「あれはどこのメーカーのだったんだろ」と探してはみる。ぼんやりと記憶に残るパッケージに似たものは見あたらない。家の近くでしか売っていない、ローカルな菓子メーカーの飴だったのかなと思う。今度帰省したら気をつけて見てみようと決めるのに、実際に帰ると忘れてしまう。スーパーへ立ち寄るまもなく、いつもさっさと東京のアパートへ戻るからだ。

両親と気まずいのは、いまにはじまったことではない。高校生の弟はなんとなく事情を察しているだろうが、ただでさえ無口な年ごろのうえにデリケートな問題だから、なにも言ってこない。「おばあちゃんが生きてればなあ」と、光子は何百回もため息をつきながら家族との数日をやり過ごす。

光子には生理が来ない。

「今回まじやばいかも」「うっそ、どうすんの」と深刻な顔で妊娠検査薬の注意書きを読んだり、「うわ、最悪。だれか持ってる?」「羽根つきでよければ」と生理用品の貸し借りをしたり、学校のトイレで繰り広げられるやりとりを見るたび、もやもやと胃のあたりが痛くなる。これが生理痛だったらどんなにいいだろうと願う。

光子の卵巣はうまく卵を作れないらしい。中学三年になって、「これはおかしい」とあせった母親に連れていかれた病院でわかった。何度も検査され、薬も飲んだ。検査も治療も、痛かったしつらかった。その挙げ句、妊娠できないだろうと医者に言われ、得体の知れない衝撃を受けたが、なによりも光子を撃《う》ったのは、母親が泣き伏したことだ。

妊娠の予定はもとより、光子はまだセックスもしたことがなかったから、だれかと愛しあい子どもを授かる自分など実感をもって想像できなかった。どうやら子どもを授かることはないらしいという事実は、もっともっと実感できなかった。

でも、泣く母親を見て、そんなにかわいそうか、とようやく思い至った。あたしはそんなにかわいそうか。

とてつもなく大きなものを否定されたのだと感じた。母親に、ではない。自然界の掟《おきて》、もしかしたら神と言いかえられるかもしれない大きな存在に、生物としての根幹を成すなにか大きな部分を否定されたんだ、と。

もちろん、そういう思いは徐々に日常のなかに溶けてゆき、光子は今日も生きている。ものを食い、排泄《はいせつ》し、全身の細胞は生物として順調に新陳代謝する。卵だけができず、生理がない。生理がない、と友人にもつきあっている男にも言ったことはない。光子は慎重に日を数え、手帳に架空の生理日を記す。月のうち一週間は生理用品を持ち歩き、その期間に友だちとトイレで一緒になったら、個室内でわざとゆっくり用を足す。ばれないか内心でどきどきしながら、「つらいよねー」と生理痛談義に加わってもみる。

ばかみたいだ、と思うこともある。だけど、こわい。大多数の女の子と自分はちがうと知られるのがこわい。

これからもし、だれかと結婚することになったらどうしたらいいだろう。結婚するまえに言うのか？　黙って結婚して、事実が明らかになるのを待つのか？

いまはまだいい。差し迫った問題ではない。だけど、決断しなきゃいけないことがひとより多いのだと、寝しなにふと考えるとこわくてたまらなくなる。

だれにも言えない。

「たすけて」とつぶやいてみる。祖母の顔が浮かぶ。祖母はなにも知らないまま死んだ。祖母も子どもを生んだから祖母になった。光子に「たすけて」と言われても、困った顔をするだけだったかもしれない。

母親とは、もっとずっとまえからうまくいっていなかった。理由はよくわからない。理由なんかない気もする。ただ相性が悪いだけ。光子は幼いころから、「素直じゃない子」と母親に言われて育ったし、実際素直じゃなかった。

裏山で捕まえたカブトムシが死んだとき、死んだということに納得がいかず、「庭に埋めてやりなさい」という母親の言いつけに従わなかった。昨日まではスイカの汁を吸っていたのに、今朝はもう動かないなんて変だ。また元気になるかもしれないと思って、スイカの皮にカブトムシを載《の》せておいたら、蟻《あり》がびっしりたかった。母親にひどく叱《しか》られ、カブトムシの死骸《しがい》は虫カゴごとゴミに出された。

週末の朝にはきらいな牛乳が必ず食卓に上り、いやいや飲んだせいでコップをひっくり返した。牛乳を無駄にしてしまったこともコップをうまく扱えないことも悲しくて泣いていたら、「拭《ふ》けばいいでしょ、ほら早く」と布巾《ふきん》を寄越された。次に牛乳をこぼしたとき、また泣きそうになったがぐっとこらえ、「拭けばいい」と自分に言い聞かせたら、「なに開き直ってるの、子どもらしくない」と怒られた。

あたしが母親だったとしても、こんなにトロくさくて扱いづらい子どもなんて、きっときらいだ。光子はそう考えてから、「そうか、あたしは母親になることも子どもを持つこともないんだっけ」と気づく。相性の悪い子を育てなきゃいけない苦労とは無縁なんだ。そう思って、一人で少し笑う。笑おうとする。

母親の美点は、テストの点が多少悪くてもうるさく言わないところだった。夕飯の仕《し》度《たく》や皿洗いを手伝わないと口やかましいが、凡庸《ぼんよう》としか言いようのない成績表を見ても、「光子は女の子だし、まあほどほどでいいか」と、ため息をつくだけだった。

ところが、光子にはたぶんずっと生理が来ないと判明すると、母親の態度が変わった。中学三年の夏休みから、光子は猛勉強させられた。塾に通ったし家庭教師なんてものまでついた。突然の方針転換にたじろぐ光子に、母親は言った。「あんたはそれなりの大学に行って、ちゃんとお勤めしないと。わかってるでしょ?」

卵がないあたしは結婚できるかわからないし、結婚したとしても子どもはできないから、老後も一人でなんとか食べていけるようにしろってことか。どうして卵の有無で生きかたを変えなきゃならないのか、どうして弟は免除されている家事の手伝いも光子にはあいかわらず課せられるのか、いろいろ不服ではあったが、「わかってる」と答えた。母親と言い争いたい気分ではなかったし、心配してくれているのだということはわかったからだ。

それに、妙な引け目もあった。あたしがこうなのは、あたしのせいでも、だれのせいでもない。頭では理解しているのに、感情が裏切る。なにがいけなかったんだろうと、ありもしない原因を探りだそうとする。結論はいつも、「あたしがこうだからいけないんだ」というところに着地する。あたしのせいで、母親がいらだつ。母親に心配をかける。せめて言うことを聞いて勉強し、母親を安心させてあげよう。

殊勝《しゅしょう》な取り組みぶりがよかったのか、光子は大学進学率の高い女子校に合格した。田舎《いなか》ではめずらしいミッション系の私立高校だ。私立にしては安めの授業料と、受験に特化したカリキュラムを謳《うた》っている。県立の一番いい高校に受かるほどではない女子生徒、でも堅実に勉強する真面目《まじめ》な女子生徒が、そこには主に集《つど》っていた。

学校生活は退屈の一言だった。休み時間も静かに机に向かっているような、地味な子がほとんどだ。でも、水面下ではライバル心が渦巻《うずま》いている。あの子の成績は何番か、あの子の志望大学の偏差値はいくつか。そんな空気のなかで授業を受けるうちに、重い霧《きり》みたいな気持ちが溜《た》まってくる。

光子はよく、教室の窓から外を眺めた。雲の合間から薄日が射《さ》し、遠くの海が灰色に光っている。早く卒業して、東京の大学に行きたいと思った。

一応はミッション系なので、週に一度、聖書を読む授業があった。聖書には、「してはならないこと」がたくさん書かれている。

盗んではだめ。殺してはだめ。不倫してはだめ。同性愛はだめ。獣姦《じゆうかん》はだめ。オナニーはだめ。避妊はだめ。

「なぜ同性愛が禁じられているんですか?」

クラスでもひときわ地味な子がシスターに質問した。その子にはとても仲のいい後輩がいて、クラスメイトは「あいつレズじゃないの」「げっ、まじキモい」と噂《うわさ》しあっていたから、教室内は少しざわめいた。

シスターの答えは、

「婚姻関係を結ばず、妊娠を目的としない性的行為は、総じて禁じられています」

だった。光子はざわめきには加わらず、息をひそめていた。霧がいよいよ重く濃くなって、気をつけていないと口から噴出してしまいそうだった。

「じゃあ」

と、質問した子は食い下がった。「結婚したいと思った相手が不妊症だとわかった場合は、どうなるんですか。その相手と結婚もセックスもしちゃいけないということですか」

「男女間の場合は話がちがいます」

「変な理屈ですね。どうちがうんですか」

やめてよ、と光子は言いたかった。シスターをまっすぐ見据《みす》えて問いただす姿に憎しみを感じた。「この話はここまで」とシスターは言い、種を蒔《ま》くひとはどうこうと、当たり障《さわ》りのない聖書の話をしはじめた。そんなシスターにも憎しみを感じた。

人類なんか死に絶えればいい。

光子は遊ぶことにした。学校では少数派の派手な子たちとつるんで、放課後は必ずしみったれた町へ出た。性欲が服を着て歩いているような他校の男子や、生まれた土地から離れず未だに実家暮らしのサラリーマン。相手ならいくらでもいた。優しくて楽しいひとばかりだと思った。友だちにそう言ったら、その子はカールさせたまつ毛にマスカラを塗りながら、

「つうか、あたりまえ」

と鼻で笑った。「優しさはタダだもん」

そうか、と思った。すごい賢い、と見直した。

その子は結局、卒業間際に退学し、優しさだけは有り余っていたらしい年上の男とできちゃった結婚した。光子の通っていた高校ではめったにない事件だったから、校内はしばらく騒然としていた。最後に廊下ですれちがったとき、その子は照れくさそうでも誇らしそうでもある目くばせを光子に寄越した。

光子は控えめに表現しても、「いろんな男とやりまくった」と言えるだろう。どうせ妊娠しないし、と思ったが、性病に罹《かか》るのはいやだったから、たいていはゴムをつけさせた。

いろんな男とやりまくるのは、食事と一緒だなと思うようになった。食材や料理に対する好みはある。調理のうまいへたはある。でも結局のところ、大半の食事は、たいした感慨もなく機械的に体内に収めるものだ。おなかが減ったらまた食べる。それだけのものだ。

光子の生活の変化に気づいた母親は、

「なに考えてんの！」

と怒った。「女の子なのにそんな……」

「うっせえな」

光子は怒鳴り返した。「なんの心配なわけ。キズモノになったらとか言う？　なんねえよ、わかってんだろ！」

母親はまた泣き伏し、光子は父親にぶたれた。うぜえ、と思った。それ以降、両親はもうなにも言わなくなった。なにも言わず、光子を遠巻きにするようになった。

東京へ行きたい。生まれた町から離れたい。自分にとっても親にとっても、そのほうがよさそうだと光子は思った。就職先といえば役所か地元の小さな会社で、結婚して家族を作るのがあたりまえの場所から、いまは少し距離を置いたほうがいい。

そこそこ勉強していたから、現役で大学に受かった。地元で光子がやりまくっていたことをだれも知らない、都会での新しい生活。

仕送りの額に比例して、部屋の壁は薄い。だが、建物の古さは気にならなかった。ひとの気配が伝わってきて、むしろ安心できる。

住人はみんな一人で暮らしている。

のびのびした気分で、光子は木暮荘《こぐれそう》に住みはじめたのだった。


「ちょっと神崎《かんざき》、いるんでしょ」

天井に向かって小声で呼びかけると、節穴《ふしあな》に貼ってあった掌大《てのひらだい》の紙がはらりと落ちた。神崎の目が覗き、同じく小声で返事があった。

「なんだよ」

「あのさぁ、あたし、除光液どこやったっけ」

「そんな用事で呼ばないでもらえるか」

神崎の不満そうな声が降ってくる。「二号と励んでるときは、覗かせてくれなかったくせに」

「あたりまえじゃん」

光子は毛布にくるまったまま、ベッドのうえで器用に服を身につけた。「そうしょっちゅう、タダでセックス見物できるほど、世の中は甘くないんだよ」

「タダで失《う》せ物《もの》探しをさせようっていう、おまえはどうなんだ。ずうずうしい」

「どうせ物音は盗み聞きしてたんでしょう。それが充分、代金になるじゃん。あと、『二号』ってなに。あたしの彼氏には聡って名前があるんだから、失礼な呼びかたしないでもらえる？」

「二号は二号だろ。三人いる男のうちの二人だろ」

「あー、うるさい。いまつきあってるのは、さとちゃんだけなんですぅ。いいから早く教えて。除光液は？」

「なあ、三回に一回は紙をはずしていいことにしよう」

「うるさいってば。穴ふさぐよ？」

光子の脅《おど》しが効《き》いたのか、神崎はしぶしぶといった口調で答えた。

「ベッドの下にでもあるんじゃないか？　このあいだ覗いてたら、おまえたしか、台所に行く途中でなんかの瓶《びん》を蹴転《けころ》がしてたぞ」

そうだっけ、と光子は床に這《は》う。

「あったあった。さんきゅ」

除光液の瓶を無事に発見し、光子はベッドのうえに立った。背伸びして、紙の四隅をテープでゆるめに天井にとめる。節穴は再び覆《おお》われた。

「おい、用が済んだらこの仕打ちか。二号も帰ったんだし、もう少し覗かせてくれたっていいだろ」

「だめ。今日はこれから、大学の友だちが遊びにくるんだもん」

階上の部屋でなおもぼやいている神崎を無視し、光子はマニキュアを塗りかえ、窓を開けて換気した。木暮荘の庭木は、葉を赤く色づかせている。除光液のにおいと生々《なまなま》しく湿った空気が、冷たく乾いたものに変わっていく。

「さむー」

独《ひと》り言《ごと》を言いながら、光子は掃除用のコロコロを転がし、床面の小さなゴミやら髪の毛やらを取った。どうせ、今日来るのは仲のいい女友だちばかりだし、掃除機はかけなくていいやと判断した。

聡と自分の体温がまだ残る布団を整え、トイレが汚れていないか確認する。買い置きの菓子やらジュースやらを、台所から居間兼寝室の六畳へ運び、小さなローテーブルに人数分のコップとともに並べる。窓を閉めてテレビをつけ、さっそくポテトチップスをつまんだ。表は明るい。窓越しに、庭でジョンが昼寝をしているのが見えた。

待つほどもなく外廊下から人声がし、葵《あおい》と亜季《あき》がやってきた。

「おーっす、お邪魔ー」

「あいっかわらずぼろいね、このアパート」

口々に言い、ローテーブルを囲んで座る。ただでさえベッドが大半を占める部屋は、脱いだコートやら三人の人間やらで満杯だ。

「てきとーに飲んだり食べたりして」

光子が勧めると、

「スナック菓子とジュースしかないじゃん」

「ミツ、ちゃんと自炊しろよな」

と葵と亜季は笑った。

特に目的があって集まったのではない。どうせ週末は街もひとでいっぱいだし、ひさしぶりに部屋でごろごろしよっか、と葵が提案して決まった会合だ。提案したのは葵だが、葵も亜季も親と一緒に住んでいるので、場所提供は光子がした。

「亜季はほとんど一人でポテトチップスをたいらげた。光子は葵と視線を交わす。

「亜季さあ、最近ちょっと太ったよね」

と、光子はおそるおそる言った。本当は、ここ二カ月ほどでものすごく太ったよね、と言いたかった。

「やっぱり？」

カールの袋を開けながら、亜季は微笑《ほほえ》む。「実は私、臨月なんだ」

「リンゲツ？」

「妊娠してんの」

数瞬置いて、光子は言葉の意味を把握した。

「うそっ」

素《す》っ頓狂《とんきょう》な声が出た。葵も、「まさかとは思ってたけど」と言ったきり、つづく言葉がないようだ。

「なかなかおなかが膨《ふく》らまないから、『赤ちゃんマジいるのかな』って思ってたんだけど、やっと膨らんだね。あはは」

亜季は呑気《のんき》にカールを食べ、指先を舐《な》める。光子と葵はようやく態勢を立て直し、矢継ぎ早に尋ねた。

「妊娠って、相手だれ！　ヨシフミ？」

「あたりまえじゃーん。ほかの男となんかやってないもん」

「病院は。あいつ、なんて言ってんの。親は？」

「病院なんか行ってないし、親になんて言えるわけないって。彼氏は、『好きにすれば』って」

「どうすんの」

葵はあきれたように言った。「もうすぐ生まれちゃうんでしょ？　ヨシフミ、あんたと結婚する気あんの？」

「『いいけど』って言ってた。『正月に実家帰るし、そのときには生まれてんだろ。子ども連れてきゃ、親も納得すると思うし』って」

「ヨシフミって、実家どこなの」

「たしか北海道」

光子は、見るからにチャラそうなヨシフミの風体《ふうてい》を思い浮かべた。生まれてすぐの赤ん坊を、飛行機に乗せて大丈夫なんだろうか。それよりなにより、ヨシフミの子を生んでヨシフミと結婚するなんて、大丈夫なんだろうか。彼女が妊娠したとわかった時点で、通常はもうちょっと積極的に、なんらかの判断を下すものなんじゃないのか。「好きにすれば」とか「いいけど」とか、なんなのそれ。わけわかんない。

光子はいらいらしてきた。あまりにも無責任なヨシフミの態度も、ヨシフミに強く結婚を迫るでも、一人で子どもを生み育てる覚悟をするでもなく、いままでボーッと妊娠していたらしい亜季の態度も、すべてが光子をいらだたせた。

たぶん亜季もヨシフミも、なにかを決めるのが面倒くさくていやだっただけなんだ。光子はそう思った。だから、「なんとかなるかも」と流されるまま、なにも手を打たずに毎日をやり過ごしてるんだ。

でも、そうしているうちにも赤ちゃんは生まれてくる。生きた赤ん坊をまえに、「なんとかなるかも」は通用しない。どうするつもりなんだろう。ひとが一人増えることの意味を、どう思ってるんだろう。

葵も同じように感じたらしく、

「とにかく、ヨシフミとちゃんと話しなよ。お母さんにも言って、病院でちゃんと健診も受けて」

と、親身な様子で忠告している。「ただでさえ、いま産婦人科医がたりないとか、ニュースでやってるじゃん。急に『生まれる』って言ったって、病院じゃ受け入れてくれないかもしんないし」

「うーん、そうだねえ」

亜季は曖昧《あいまい》にうなずいた。異様なまでの悠長さに、もしかしたらと光子は思った。もしかしたら、亜季も不安でたまらないのかもしれない。だから、現実を見ようとせず、なんでもないふりで時間が過ぎるのを待っているのかもしれない。赤ん坊の入った大きなおなかを無視し、息をひそめるようにして。

そんなことをしてても、いずれ生まれちゃうのに。

いま亜季が食べるカールも、赤ん坊が養分として吸い取ってるんだろうなと考えると、いらだちの背後からかすかな吐き気がこみあげるようだった。

そのあとはなんとなく盛りあがらず、葵と亜季は夕方になるかならぬかのうちに帰っていった。亜季は親に妊娠がばれるのがいやで、このごろではヨシフミの部屋に入りびたっているのだそうだ。

「うちの親、超きびしーじゃん？　できちゃった結婚なんて殺されるし、やっぱ生まれてから言おうと思って。孫はかわいいもんだっていうから、きっとオッケーするでしよ」

ヨシフミはどう思ってるんだろう。妊娠中の女と一緒にいるのを、喜ぶタイプには見えなかったけど。光子はため息を押し殺しつつ、外廊下を歩いていく亜季の背中を見送った。気づかうように付き添う葵が、光子を振り返り、「困ったね」と言いたげな表情で小さく手を振る。

部屋で一人になると、どっと疲れた。菓子くずを片づける気力も湧かず、ベッドに横になって、天井の節穴に貼った紙を見上げる。

「神崎さん、いる？」

と声をかけ、気配をうかがう。「聞いた？」

ややして、「聞いてた」と神崎のぶっきらぼうな返事があった。同時に、神崎が指で突いてはずした紙が、光子の顔の脇にひらひら落ちてきた。覗いていいって言ってないでしょ、と思ったが、神崎の目がなんだか心配そうにまばたきしたので、光子は黙認してやることにした。

「おまえの暮らしぶりも相当だらしないと思ってたが、友だちもすごいな」

「あたしのどこがだらしないのよ」

「男の出入りは激しいし、部屋の掃除もめったにしない」

神崎の言葉を、ふん、と光子は鼻息で吹き飛ばす。彼女もできず、階下の女子大生の部屋を覗いてる男に、そんなことを言われる筋合いはない。掃除なんて二週間に一度すれば充分だし、それにあたしは、何人の男と寝たって子どもなんかできやしないんだし。

光子はふと、「妊娠したのが亜季じゃなくあたしだったら」と考える。いいかげんな男にはさっさと見切りをつけて、赤ん坊が使う服やらおむつやらを用意して、万全の状態で出産日を待つのに。生まれた子どもを、ものすごくかわいがって大切にするのにな。

神さまって、ほんとに不公平で意地悪だ。

光子はぼんやりとベッドに横たわったままでいた。

「どうした、なんだか元気がないじゃないか」

神崎が遠慮がちに言う。

「べつに。衝撃の事実を知って、ちょっと疲れただけ」

節穴から神崎の目が消え、かわりに飴が一個落ちてきた。個包装してある飴で、赤い袋には、「おみくじキャンディー　大凶！　気を落とさずに。不運もいつかは幸いに転じる……かも⁉」と書いてあった。

「なにこれ」

「縁起悪いから、おまえにやろうと思って持ってた」

「いらねーよ！」

「甘いもん食べると、疲れが取れるって言うしな」

神崎はもっともらしく理由をつけ加え、それきり天井は静かになった。

「なに、スイカ味って。ほんといらねー。あたし黒飴が好きなんだけど。ねえ、ちょっと!」

返事はなかった。


十二月になってから、亜季の姿をキャンパスで見かけない。携帯に電話しても留守電のままだし、メールを送っても返信はない。

「どうしたんだろうね」

「もう生まれたのかな」

光子は葵と噂しあうしかなかった。

一度だけ、亜季の家にも電話をかけてみたが、「このごろ帰ってきてなくて」と、母親が小声で早口に言うだけだった。ニュースを読みあげるアナウンサーの声と、食器がテーブルに置かれる音が漏《も》れ聞こえた。父親が遅い夕飯を食べているらしい。だから母親は、聞き取りづらいほど小さな声で娘の不在を告げるのかと、光子は納得した。「亜季んちも、なんだか大変そうだな」と思った。

亜季は彼氏を女友だちに引きあわせたがらないほうだったので、光子も葵も、ヨシフミのことはよく知らない。亜季と一緒にいるところに出くわし、挨拶《あいさつ》を交わした程度の仲だ。他学部の同学年だとは聞いたが、共通の友人もおらず、ヨシフミが一人暮らしをする部屋がどこにあるのか、探して訪ねていくこともできなかった。

犯罪に巻きこまれたんじゃないかとか、急に産気づいてどこかで行き倒れているんじゃないかとか、光子と葵は気を揉《も》んだ。でも結局、ヨシフミと駆け落ちしたのかもしれない、というところに会話は落ち着くのだった。もしくは、赤ちゃんが生まれて、亜季とヨシフミはてんてこ舞いなのではないか、と。

亜季もヨシフミも、てんてこ舞いになるほど赤ん坊の世話などしない気がしたが、とりあえず、不幸な想像はなるべくしないようにした。葵やあたしがこんなに心配してるのに、いまごろ亜季はしゃあしゃあと子どもを生んで、おっぱいをあげたりおむつを換えたりしてるんだ。そんなふうに思って、おなじみのもやもやした胃痛がはじまることもあった。

木立はとうに葉を落とし、灰色の雲に空が覆われた夕方、亜季が木暮荘に現れた。ひとの気配を感じて光子が玄関のドアを開けたら、バスタオルでくるんだ赤ん坊を抱いて立っていた。

「どこ行ってたの！　ていうか、どうしたのそれ！」

びっくりした光子は、亜季の顔と赤ん坊を見比べた。赤ん坊はとても小さかった。なぜかいきむようにして、しかし心地よさそうに眠っている。

「どうしたって、生んだんだってば」

「いつ！」

「一カ月ぐらいまえ」

「生まれたてじゃん!」

「そうだよ。やばかったんだー。駅を出て歩いてたら、急に生まれそうになっちゃってさ。公園の女子トイレで生んだんだよ」

「まじで⁉」

「うん。ちょうど携帯用の裁縫《さいほう》セットを持ってたから、へその緒も自分で切って、コートの胸んとこに隠すように抱いてさ。ヨシフミんちに直行」

「すごいねえ。痛くなかったの」

「痛いし、なんでか異様に寒くなってブルブル震えちゃったけど、こっちも必死だから、よくわかんなかった」

光子のほうが腰の抜ける思いで、部屋に招き入れた亜季に出す飲み物を探した。冷蔵庫には発泡酒しか入っていない。今日あたり聡が来るかと思って、買っておいたものだ。さすがにアルコールはまずいだろう。ちょっとコンビニまで行ってこようか。

「ねえ」

と呼びかけて振り返ると、亜季はローテーブルのそばに立ったままだった。コートも脱いでいない。

「あのさあ、ミツ」

と亜季は言った。「悪いんだけど、この子、預かってくれないかな」

「無理だよそんなの。あたし、赤ちゃんのことなんてわかんないよ」

「私だってわからない」

亜季は、台所にいる光子に近づいてきた。「けど、大丈夫」

「なにが大丈夫なの」

「やってみりゃ、なんとかなるもんだって」

首がぐらぐらしてるから気をつけてね、と亜季は言い、赤ん坊を強引に押しつけてきた。光子は半《なか》ば反射で、赤ん坊を抱き取ってしまった。

すごく軽い。あったかいし、牛乳をあったためたようなにおいがする。小さな小さな指に、さらに小さな小さな爪《つめ》がきちんと生《は》えている。赤ん坊のほっぺたはつるつるなのかと思っていたが、ヨダレのせいかお乳のせいか、近くで見るとちょっと肌がかぶれて赤くなっている。

うわあ。なにが「うわあ」なのかわからないが、光子は内心で声をあげた。

こんなに力がなく無防備な生き物がいていいのか。不安になるほどかわいい。どちらかといえば亜季に似ている。ヨシフミみたいなバカ顔じゃなくてよかったと思う。

「そういえば、男の子？　女の子？　名前は？」

「女の子。名前はまだない」

「じゃあ、なんて呼んでんの」

「寝てばっかりいるから、呼ぶ必要ない感じ」

「へえ」

腕のなかの赤ん坊を、光子はおそるおそる揺すってみた。赤ん坊は眠りながら口もとを動かした。おっぱいを飲む夢でも見ているのかもしれない。変なの、と思った。どうして亜季は、すぐに名前をつけないんだろう。あたしはもう、この子に呼びかけたくてたまらない。名前を呼んで、この子が寝ててもおかまいなしで、いろいろしゃべりかけたくてたまらない。

「じゃあ、しばらく頼んだ」

亜季はもう玄関で靴を履《は》いている。我に返った光子は、あわてて亜季に詰め寄った。

「ちょっとちょっと、困る」

「急いでたから、ミルクもおむつもないんだけどさ。買ってやってくれる？　あとで払う」

「なんで？　なんか用でもあんの？　なんであたしに」

混乱した光子はとりとめなく問いただしたのだが、亜季は逃げるようにドアを開け、出ていってしまった。赤ん坊を抱えた光子は、ぐらぐら揺れる首に気を取られ、追うことができなかった。

「しばらくって、何時に迎えに来んの！」

最後に怒鳴るように聞いたら、

「うーん、一週間ぐらいかな」

と遠ざかる返事があり、呆然《ぼうぜん》とした。

一週間？　そんなの無理だ。

腕のなかの赤ん坊を見下ろすと、いまの騒動で目を覚ましていた。真っ黒な瞳は、まだよくものが見えていないようだったが、周囲の変化は敏感に察したらしい。みるみるうちに顔を真っ赤にし、大声で泣きはじめた。

どうしよう。光子は闇雲《やみくも》に部屋のなかを歩きまわり、「よしよし」と必死で赤ん坊をあやす。泣きやまない。このアパートは動物を飼っていいんだろうか。庭にジョンがいるから、禁止ではないのか。あせって、そんなことまで考えた。

外廊下でまた気配がし、やっぱり亜季が戻ってきたのかと思ったのだが、ドアのまえにいたのは聡だった。

ほとんど半泣きになりながら、大泣きの赤ん坊を抱いている光子を見て、聡はたじろいだようだ。

「……おまえが生んだの？」

そんなはずないじゃない。そうだったらどんなにいいか。

混沌《こんとん》とした叫びが喉《のど》にこみあげたが、実際に光子が言ったのは、

「ばか！」

だった。「おむつと粉ミルクと哺乳瓶《ほにゅうびん》買ってきて！　すぐ！」

赤ん坊はバスタオルの下に紙おむつしかしていなかった。寒いのに、亜季は赤ちゃんにこんな恰好《かっこう》をさせていたのか。光子は驚き、聡を再び買い物に走らせた。しばらくして戻ってきた聡は、数着のベビー服と一緒に育児書も買ってきた。気がきくところが好きだ。

二人で協力し、苦労しておむつを換え、粉ミルクを作って飲ませた。

「飲み終わったらゲップさせなきゃなんないらしい」

「ゲップって、どうやって？」

育児書の図解を眺めながら、赤ん坊の背中をさすってやった。

そのあいだじゅう、赤ん坊はほぼずっと泣きっぱなしだった。天井の節穴に貼った紙に、光子は何度か視線を送った。神崎は絶対にこの事態に気づいているはずだ。いまにも「うるさい」と怒鳴りこんでくるのではないかと、気が気でなかった。

実際に様子を見にきたのは、隣《となり》の部屋に住む大家の木暮《こぐれ》だった。

「庭で猫がさかっているのかと思った」

と木暮は言った。「なんだ、この子は。あんたが生んだのか」

どいつもこいつも無神経だ。光子の事情を知らないのだからしかたがないが、それにしたってひどい。妊娠していたとしてもおかしくない体型だとでも言いたいのか。ひそかに腹を立てながら、赤ん坊がここにいるわけを光子が説明すると、

「そりゃ困ったな」

と木暮は腕組みした。「明日になったら、うちのばあさんに来てもらおう」

子どもも孫もいるはずなのに、木暮はちっとも戦力にならないまま、隣室に引きあげていった。

残された光子と聡は、ようやく赤ん坊をベッドに寝かしつけ、虚脱して床に座りこんだ。

やがて聡がおずおずと、

「じゃ、俺も帰るわ」

と言った。

「うそ、泊まってってよ。あたし一人じゃ、なんかあったときに不安だし」

「俺がいたって、同じことだって。泊まるっても寝るとこもないし、明日、朝イチで語学だし。去年、単位落としてるから、欠席したくないんだよ」

そうだ、大学に行かなきゃいけないのに、この子はそのあいだどうしたらいいだろう。

光子が気を取られているうちに、「がんばれ」と言い残し、聡は本当に帰ってしまった。薄情者だ。

葵に携帯メールで報告したら、すぐに電話がかかってきた。

「まったく亜季も、なに考えてんだか。私のほうで、なんとかして居所を突きとめるようにするから」

「授業どうしよう」

「ミツは午後からでしょ。私は昼までだから、交代で子守りしよう。終わったらダッシュでそっちに行く」

「ありがとー。明日、絶対来てよ？」

「行く行く」

赤ん坊はほぼ二時間おきに目を覚まし、そのつど律儀《りちぎ》に泣き叫んだ。光子は寝ることもできず、おむつを換え、ミルクをやり、ゲップをさせた。なんでこの生き物を、無力でかわいいなんて思ったんだろう。最強だ。最強の悪魔だ。

ベッドにつっぷしてうとうとしながら、名前を考えた。

翌朝、赤ん坊が泣いてミルクを要求したとき、少し慣れた光子は台所で湯を沸《わ》かしつつ言った。

「はいはい、いま作るから待ってて、はるか」

はるかが光子のもとに来てから、三日が経《た》った。

昼間は木暮の奥さんが、はるかの世話をしてくれる。奥さんはいつ、光子がデリヘル嬢とは別人だと気づくのか。光子と木暮は当初、緊張と心配で強張《こわば》りながら様子をうかがっていたのだが、奥さんは若い女の見わけがつかないようで、ことなきを得た。木暮の部屋には、自宅の納屋《なや》で眠っていたベビーバスまで持ちこまれ、パウダーと赤ん坊の甘いにおいが充満している。

光子は大学から帰ると、隣室にはるかを迎えに行く。聡もはるかの顔を見に立ち寄っては、柔らかい頬《ほお》をこわごわとつついたりする。「かわいいなあ」と聡が言うたび、光子は心臓が引き絞《しぼ》られる思いがする。

葵はヨシフミの学部に乗りこんでいって、手当たり次第に聞きこみをしたそうだ。その結果、ヨシフミが西荻窪《にしおぎくぼ》のマンションに住んでいること、しかし急に、「ちょっと実家帰る」と言ってそれきりだということが判明した。

「逃げだしたね」

はるかを抱き、哺乳瓶をくわえさせながら、葵は断じた。葵には年の離れた妹がいるそうで、赤ん坊の扱いはわりと手慣れていた。

「その気持ちもわかる」

光子はため息をついた。寝不足だった。夜中に赤ん坊の泣き声が響きわたるから、たぶん木暮荘の住人は全員寝不足のはずだ。

意外だったのは神崎の反応で、ここぞとばかりに苦情や嫌みを言うかと思ったのに、おとなしい。光子がはるかにミルクを与えるのを、黙って覗き見している。

「神崎って、もしかしてロリコン？」

と聞いたら、

「あほか。そんなんじゃない」

と素っ気なく否定された。

はるかはミルクを飲む途中で、うつらうつらしはじめた。ここが肝心《かんじん》だ。ぐずらず、このまま寝てくれ。光子は祈る思いで葵からはるかを抱き取り、ベッドへそっと寝かせる。

「じゃあ、亜季は」

どうやら寝ついてくれそうなはるかを見ながら、光子は小声で葵に言った。「ヨシフミを追って北海道へ行ったのかな」

「たぶんそうだと思う」

逃げだしたヨシフミを、一週間で説得することはできるのだろうか。はるかと亜季と一緒に生きると、ヨシフミは決断できるのだろうか。

名前もないということは、出生届をまだ出していないのかもしれない。「十四日間のうちに名前をつけて、出生届を役所へ提出すること」と育児書には書いてあった。はるかは生後一カ月ほどのはずだから、出生届の提出期限を過ぎているのはまちがいない。はるかといって、光子が勝手に出すわけにもいかない。木暮荘ではるかの面倒を見る全員が、はるかのことをはるかと呼んでいるが、「実はあたしがつけた名前なんです」とは、いまさら言いだせない。

まあ、書類なんて、あとからどうとでもなるはずだ。光子は、すやすや眠るはるかを見た。それよりも、どうして亜季がはるかを置いていけたのかがわからない。かわいそうだ、と思った。母親がそばにいないことにも気づけないはるかも、母親になってもあまりうれしそうじゃない亜季も、母親になれないのに赤ん坊を預けられたあたしも。感じる「かわいそう」という気持ちの底には、どす黒い怒りもかすかにうねっているようだった。

葵は今後も聞きこみをつづけ、ヨシフミの実家の連絡先をどうにかして調べるという。

「亜季の親に連絡するって手もあるけど」

とも葵は言ったが、光子は少し考え、首を振った。

「もうちょっと待ってみる。亜季はきっと、妊娠したことも親に言ってないよね？」

「そうだろうね」

「それなのに、あたしたちがこの子を連れて、『亜季の子です』って言いに行っても、きっと信じてくんないよ」

「そりゃそうだ。新手《あらて》の詐欺《さぎ》か、とか思われるのがオチだね」

めずらしく母親が電話してきたのは、その晩のことだった。これまためずらしく、台所で野菜炒《いた》めを作っていた光子は、ローテーブルに置いてあった携帯電話に突進する。

「もしもし、光子？」

という母親の第一声を聞いた瞬間、「げっ」と思った。なぜこんなときにかぎって電話してくるのだろう。これが母親の勘ってやつか。どぎまぎしながら、

「うん。なに？」

と返した光子は、ベッドを見やって「げげっ」と思った。はるかが目を開けている。

ほとんどワンコールで取ったのに、やっぱり起きてしまったか。

はるかは手足を動かしていたが、自分の使命を思い出したかのように、唐突に泣きはじめた。

「あら……、赤ちゃんの声がする」

母親が遠慮がちに指摘した。

「友だち！　友だちが子ども連れてきてんの」

「そう」

母親は口ごもった。光子になんと言葉をかけるべきか迷っているのだろう。重苦しい空白を振り払うため、光子は声を少し高くした。

「で？　なんか用？」

「特に用はないんだけど」

「じゃあ、またでいい？　いまちょっと、料理してんだよね」

強引に切りあげ、台所に戻る。コンロの火を止め損《そこ》ねたせいで、フライパンのなかの野菜炒めは焦《こ》げていた。

「あーあ」

皿に移し、発泡酒とともにローテーブルへ運ぶ。はるかを抱きあげ、「泣かない泣かない」と優しく揺らしてやる。くさいにおいが漂った。

「あ、うんちした」

赤ちゃんのうんちって、なんでこんなに柔らかいんだろう。それとも、下痢《げり》なのかな。不安になったが、はるかは元気に泣きわめいている。尻を拭《ふ》き、新しいおむつと取りかえた。

野菜炒めは冷めて油をにじませていたが、光子は空腹など忘れ、「はい、できた」と笑ってはるかのおなかを撫《な》でた。はるかはすっきりしたのか、泣くのをやめて光子を見ている。

なぜだか涙が出そうになった。

あたしだったら、絶対に置いていったりしない。ずっとずっと離さない。

本当は母親に言いたかった。あたしの子だよ。はるかって名前で、生まれてまだ一カ月ぐらいしか経ってない。泣くか寝るかしかしなくて世話が大変だけど、すごくすごくかわいい。大学行ってるあいだは、この子のことが心配でたまらない。帰ってきて顔を見るたび、食べちゃいたくなる。大事に大事に育ててる、あたしの子なんだよ。

母親はなんと言っただろう。光子がどこかから子どもをさらってきたのではないかと、驚きあわてただろうか。

はるかの頬に唇をつける。塩からい味がする。

亜季が戻ってこなければいいのに。あたしにはるかをくれればいいのに。

はるかはあたしの光だ。

そう思った。

はるかは木暮荘のアイドルだった。

木暮夫妻はベビー服を買い足し、光子が迎えに行っても、なかなか手放したがらない。ジョンまでが掃《は》きだし窓に寄ってきて、室内にいるはるかを不思議そうに眺める。

葵が大学の事務局に問い合わせたが、ヨシフミの実家の住所は教えてもらえなかったそうだ。亜季とも連絡がつかないまま、はるかが来てそろそろ一週間が経つ。大学はもうすぐ冬休みだ。

「無責任だな」

と、はるかにすっかりほだされた聡は憤《いきどお》った。このままでいい、と光子は念じる。亜季がとびきり無責任で、はるかのことを忘れてしまっているといい。

「あんまり思い入れしすぎるな」

節穴から光子の育児ぶりを観察する神崎は、忠告を寄越した。「もうすぐ迎えにくるんだろう？」

光子は無視した。亜季はたぶん、迎えになんかこない。裸の赤ちゃんをバスタオルにくるんで、平然としていたぐらいなんだから。きっと、ちゃんと世話などできないはずだ。はるかを返したって、どうせすぐにまた同じようなことになる。だれかに預けて、どこかに捨てて、男を追いかけていくんだろう。だったら、あたしのほうが母親にふさわしい。はるかを育てる手つきだって、もう慣れたものだ。亜季に負けてない。

とてもあたたかい晴れた午後だったので、光子は大学から帰ってすぐ、はるかに厚手のベビー服を着せ、木暮荘の庭へ出た。毛布を肩に羽織り、腕に抱いたはるかごと自分の体を包む。

はるかは澄んだ青空を見上げ、枝を広げる木立を眺め、薄い頭髪を風が揺らすと目を細めた。ジョンが近づいてきて、光子のスニーカーのにおいを嗅《か》いだ。いつもならば撫でてやるのだが、なにかの拍子《ひょうし》にジョンがはるかに嚙《か》みついたりしたら大事《おおごと》だから、光子はしゃがまなかった。体を傾け「はるかだよ」と見せると、ジョンは満足したのか、犬小屋のほうへ去っていった。

枯れ草を踏み、庭の奥へ向かう。

「ここが花壇。春になったら、大家のじいさんが植えてるチューリップが咲く」

「この穴はジョンが掘ったんだ。あちこち掘るんだけど、途中で忘れちゃうみたいだね」

目につくものを、すべてはるかに説明する。はるかはおとなしく聞いている。光子はまわれ右し、古いアパートの全景を視界に収めた。

「そしてこれが、木暮荘。はるかとあたしが住んでるところ」

冬の日射《ひざ》しを受け、並んだ窓は白く輝いている。木造二階建ての茶色いアパートは、薄い水色の空によく映《は》える。

木暮荘の門口《かどぐち》にタクシーが停《と》まった。車から降りた亜季が、光子とはるかに気づき、笑顔で庭に入ってくる。

「ごめーん、ミツ。やっと迎えにこれたよ」

どうしていまなの。このタイミングなの。

はるかを抱きしめ、光子は身を強張らせて立っていた。はるかのこめかみのぬくもりが、光子の心臓に伝わった。

はるかは木暮荘を忘れてしまうだろう。ここで光子と暮らしたことなど、覚えていられないだろう。

いやだ、渡さない。そう言いたかった。でも、言っても無駄だとわかっていた。

六花亭《ろっかてい》のチョコレートと引きかえに、光子は買ったベビー服や哺乳瓶や粉ミルクを詰めた紙袋を差しだした。

「おむつはうちにもあるからいらない」

と亜季は言った。「服代とか、いくら？」

「計算してない」

「悪いけど、レシートまとめといてくれないかな。今度会ったとき、お金返すから。ヨシフミの親にもうちの親にも、ご祝儀《しゅうぎ》もらっちゃったんだ」

亜季は、待たせていたタクシーの後部座席に紙袋を突っこんだ。光子ははるかを抱き、外廊下の端に立っていた。話し声を聞きつけ、木暮も部屋から出てきた。光子の背後で、気づかわしげに事態の推移を見守っている。

「ほんとにありがと」

亜季ははるかを抱き取り、光子をまっすぐ見て言った。「うわ、ちょっとのあいだに重くなったね」

ちょっとのあいだじゃない。はるかとあたしにとっては、長くて大切な一週間だった。光子は、亜季がはるかの頭に顔をこすりつけるのを見ていた。腕に残るはるかの重みと体温を感じていた。

はるかと亜季の乗ったタクシーは、すがりつきたい光子の思いをよそに、なんのためらいもなく走りだした。

「ばあさんがさびしがる」

木暮がつぶやいた。

「大丈夫、また遊びにくるって」

光子は笑ってみせ、足早に外廊下を後戻りして自室に入った。部屋ははるかのにおいで満ちていた。おむつの袋をなるべく見ないようにして、光子はベッドにつっぷした。寝具にもミルクのにおいが染《し》みていた。

もし、亜季が子どもを連れて遊びにきたとしても、それはもうはるかではない。べつの名前の、光子ではない女に育てられ、光子ではない女を母と呼ぶ子だ。

光子は毛布をかぶり、しゃくりあげた。

勝手だ。どうしてこんな残酷なことをするんだろう。あたしがどんなにかわいがったか、どんなに求めていたか、ちっとも知ろうともしないで。

毛布が作る暗闇のなかで光子は泣いた。捨てられたんだ、と脈絡もなく思った。はるかが腕のなかから消えたとき、世界中のなにもかもから捨てられた気がした。どの男と別れても、ここまで哀《かな》しくみじめだったことはない。

背中になにかが落ちてきた感触がし、光子は毛布から顔を出した。個包装された黒飴が、シーツにひとつ転がっていた。

見上げると、いつのまにか天井の紙が取れ、節穴から神崎の目が覗いている。

「やる」

と神崎は言った。光子は袖《そで》で涙を拭《ぬぐ》い、黒飴を袋から出して口に入れた。岩に血と砂糖を混ぜたような、懐《なつ》かしい味が広がった。

「おまえさ」

と神崎はつづけた。「たぶん、いい母親になると思う」

「なれっこない」

光子はかすれた声で言った。「あたしが子どもを生む日なんて、永遠に来ない」

光子の言葉に激しさがひそんでいたからか、神崎は少しのあいだ黙った。黒飴を舌のうえに載せ、光子は待った。「そんなこと、わからないだろ」とか、「なれるって。俺が保証する」とか、なにも知らないくせにいいかげんなことを言うのだろうと思った。

やがて、神崎の静かな声が降ってきた。

「おまえがいなかったら、あの赤ん坊は死んでたかもしれない。おまえの身勝手な友だちが、いらいらして殴《なぐ》ったり放っておいたりしたかもしれない」

「預けにきたときはテンパってただけで、亜季はそんな子じゃないよ」

「子どもを生まなきゃ、親にはなれないのか？」

と、神崎は言った。「子どもがいないやつは、血だか遺伝子だかの流れに乗れない、なんにも残さず生まれて死んでいくだけの生き物ってことになるのか？」

そうじゃないはずだと思いたいし願いたい。でも、よくわからない。いまはただ張り裂けてしまいそうだ。

はるかの心と体を形づくる、何億ものピースのひとつとして、あたしと暮らした一週間は、はるかのなかに残るだろうか。古いアパートやチューリップを見かけるたび、はるかはなにかが記憶をよぎるのを感じて立ち止まるだろうか。

光子は黙って、黒飴を口のなかで転がしていた。

嘘の味

諦《あきら》めきれなかったので、瀬戸並木《せとなみき》は冬が来ても日本に留《とど》まっていた。

たまに、「フラワーショップさえき」で働く坂田繭《さかたまゆ》を見に行った。「フラワーショップさえき」は、西麻布《にしあざぶ》の交差点近くの裏通りにある。路地が入り組んだ住宅街だから、建物の陰からこっそり店頭を眺めることができる。

繭は忙しそうに、けれど楽しげに、花束を作ったり銀色のバケツを運んだりしていた。並木は、花を買うことはもちろん、繭に声をかけることすらしなかった。できなかった。繭はもう、並木ではない男とつきあっている。繭が元気に働いているのを、遠くからただ確認するしかなかった。

本当は、繭の住む木暮荘《こぐれそう》にも行きたかったが、さすがにやめておいた。ストーカーだと誤解されるかもしれない。でも、散歩の途中でたまたま木暮荘の近くを通りかかるぐらいなら、許されるんじゃないか。いやいや、だめだだめだ。そういう行いこそを、ストーキングというのだ。待てよ、別れた彼女の勤務先を物陰からこそこそうかがってる時点で、立派なストーカーじゃないか？　そうか、俺はすでにストーカーだったのか！

並木は自分をなさけなく思った。

ストーカー的行動の理由を、「諦めきれなかったので」と自身に説明していたが、それもよく考えてみれば、どこまで真実なのか疑わしい。

むろん、並木は繭のことが好きだった。いままでに寝た女は繭しかいない。並木が肌を添わせ、粘膜で粘膜に触れたことのある生き物は、地球上で繭以外にいない。これから繭のほかに、そういうことをしたいと思える相手が現れるのか定かではない。もし現れなかったとしても、我が生涯に一片の悔《く》いなし！

それぐらい、並木にとって繭は特別な存在だった。

「おまえ、そうは言ったって」

師匠の桑田《くわた》は、並木の言葉を笑い飛ばす。「焼き肉屋で臓物《ぞうもつ》食ったことあるだろ。あれだって、『粘膜に粘膜で触れたこと』になるじゃねえか」

そういうことじゃないんだけどなあ、と並木は思う。セックスと焼き肉を食すのとでは、明らかにちがうだろう。胸の高鳴りや、股間の高まりかたが。股間を高まらせながら臓物食ってるやつがいたら、それは一種の変態だ。

「同じように、どうということもない日常的な行いだ」と桑田は言いたいのかもしれない。だからさっさと次の女へ行け、と。

並木も、理性では同感するところもある。セックスも食も、心と体に多大な影響を及ぼすという点では、やはり同じ根っこを持っているのではないかと感じる。

「食べ物の恨《うら》みは恐ろしい」と俗に言う。たしかに並木も、食べ物の恨みを覚えている。小学二年の遠足のとき、弁当の唐揚げの最後の一個を、同じクラスの遠藤幹也《えんどうみきや》くんに横合いからかっさらわれた。中学一年のとき、隣《となり》のクラスの笹井恵美《ささいえみ》ちゃんがくれたバレンタインのチョコを、親父《おやじ》が勝手に食った。冷蔵庫に大事にしまっておいたのに。これは食い物だけでなく、ほのかな恋心も併《あわ》せ技になった恨みだ。

繭がほかの男とつきあい、セックスしているのだと知ったとき、並木は自分でも驚くほど衝撃を受けた。必死に動揺を隠したが、嫉妬《しっと》し、怒りが湧き、哀《かな》しみが襲ってきた。並木は元来、自分はどちらかといえば性的に淡白なのだろうと思ってきた。もし、好きな女の心が離れても、「しかたがない」と、自分はまたあっさり旅に出るんだろうと予想してきた。

現実はまるでちがった。ねばっこく重い塊《かたまり》が心に生じ、激しく並木を突きあげ、苦しめた。食でも恋でも、ひとは粘膜で接するものには、深く思い入れるようにできているのかもしれない。「自分のものだ」と、所有欲が芽生《めば》えるのかもしれない。

所有欲。並木が疑わしいと感じるのは、まさにそこだった。

並木はまだ、繭を思いきれていない。しかしその未練は、繭に対する愛情に由来するものではなく、粘膜がもたらす記憶、あるいは本能によって引き起こされた、所有欲や肉欲やつまらぬ自尊心に由来するのではないか。つまり、「俺の女のくせに、勝手にほかの男とセックスしやがって。俺を虚仮《こけ》にするつもりか」という、ほかのやつがそんなことを言うのを耳にしようものなら、「勝手はどっちだ」と笑ってやりたくなるほどチンケな執着なのではないか。

その証拠に、並木は何年にもわたって平気で繭をほっぽらかし、世界中を旅して写真を撮《と》ってきた。もちろん旅のあいだ、しばしば繭を思い出しはした。繭以外の女と寝たいなどとは、まったく考えなかった。それを並木は、繭への愛の深さの証《あかし》と考えていたが、いまになってみれば、単なる自己満足とも言えた。一人で放っておかれた繭が、どう感じ、なにを考えているかなど、真剣に想像しようともしなかったのだから。

ただ無邪気に、鈍感に、「繭は俺を理解し、待っていてくれる」と、根拠もなく信じていた。金も通信手段も満足になく、夢中で撮りたいものだけはたくさんあったから。

そんな言い訳は、愛の表現を怠《おこた》った理由にはならない。繭の気持ちが離れていったと知って、急に動揺するなんて滑稽《こっけい》だ。怠慢《たいまん》が愛を枯らすのだと、自身の傲《おご》りに復讐《ふくしゅう》されるまで気づかない。愛があれば、連絡をしなくてもなんとかなるだろうと思っていた自分は、本当におめでたい。

並木は結局、旅と写真のことしか頭になく、並木が愛情だと信じていた思いは、並木にとって旅や写真よりあとまわしにできる程度のものだった。

これでは繭に愛想を尽かされるのも当然だ。

にもかかわらず、いまもって諦めきれず、ストーカー的活動をつづけているのは、意地なのか惰性《だせい》なのか。

暇《ひま》を見つけては儀式のように、並木は「フラワーショップさえき」近くの物陰へ足を運ぶ。ふだんは吸わない煙草《たばこ》を一本だけ吸うあいだ、運よく繭が店先に出てくることもあれば、そうでないこともある。繭の姿を目にすることができないまま、吸《す》い殻《がら》を携帯灰皿に収め、すごすご退散するときも多い。煙草一本ぶん以上は、その場に滞在しないよう心がけた。本格的にストーカーになってしまいそうで怖《こわ》かったし、近所の住民や通行人に通報されても困る。

一見むなしい行為にも、実りはあった。

「あなた、先週もここにいませんでした？」

火曜日の午後、髪の長い女に声をかけられた。女は、「フラワーショップさえき」で白いバラの花を五本買い、並木のほうへ歩いてきたところだった。並木は急いで「フラワーショップさえき」のほうを見、繭がすでに店のなかへ入ったのを確認してから、女に向き直った。

女は重ねて尋ねてきた。

「なにしてるんですか？」

不審者を詰問する調子ではなく、純粋に疑問を発しているだけらしかった。艶《つや》やかでまっすぐな黒い髪が、胸までこぼれ落ちている。派手ではないが清潔な顔立ちで、髪と同じぐらい黒々とした目だ。並木よりは年上のようだが、たぶん三十にはなっていないだろう。肌に張りと透明感がある。

「ストーキングです」

並木は正直に答え、煙草を携帯灰皿にねじ入れた。

「花屋の店員さんを？」

「はい」

「私、あのひとのこと、なんだか気に入ってるんです。変な真似しないでください」

「ただ見てるだけです。まえにつきあってたので、なんとなく、どうしてるのか気になって」

並木の頭から爪先《つまさき》まで、女は視線を二往復させた。通報されちゃうのかな。どきどきしながら、並木は突っ立っていた。

「ニジコ」

と女は言った。名乗ったらしいと気づくまでに、三秒ほどかかった。名前か、名字《みょうじ》か。たぶん名前だよなと思いながら、

「瀬戸並木です。並木でいいです」

と並木も名乗った。

ニジコは無造作にバラをぶらさげ、表参道《おもてさんどう》へ向かって坂を上っていった。繭が持っていたカスタードクリームみたいなバラによく似ている。並木もこれ以上、物陰に潜伏しているわけにはいかなかったので、ニジコのあとをついて歩いた。そろそろ桑田の事

務所へ顔を出さねばならない時間だった。

ニジコの吐く息が白く漂った。仕立てのいい黒いコートを着ている。並木は地面に視線を落とした。並木が背後にいるかどうか確認もせず、ニジコはおもむろに問いを発した。

「どうして別れちゃったんですか」

「ほかに好きな男ができたから」

「あなたに？」

「そんなわけないでしょう」

並木はふと、南の島で出会ったおばちゃんを連想した。おばちゃんは屋台で冷麵《れいめん》を売っていた。どぎつい水色に着色された麵だった。並木はその冷麵が気に入って、おばちゃんの屋台へ三日連続で買いに行った。三日目におばちゃんは、「日本人か、この国になにしにきた、恋人はいるか」と、急に質問攻めをはじめた。並木は島の言葉を片言程度しか話せなかったので、最初は聞きまちがえたのかと思った。「この国になにしにきた」と「恋人はいるか」の落差が、あまりにも激しかったせいだ。

「そうだ、写真、いる」と答えた。並木はその島にいるあいだじゅう、昼はおばちゃんの冷麵を食べ、無尽蔵に繰《く》りだされるおばちゃんの質問に答えた。「なぜトッピングをしない」とか、「あんたの足は左右どっちが大きい」といった、脈絡なき問いの嵐だった。おばちゃんは笑顔だったから、いやがらせではなく、親愛の情の発露だったのだろう。「金、ない」「たぶん、左」などと、並木は答えた。おばちゃんのおかげで、片言に毛が生《は》えた程度までしゃべれるようになった。ある日、島を発《た》つと言ったら、おばちゃんは柔らかく煮た豚肉の塊を無料でトッピングしてくれた。

こういう、距離の取りかたがちょっとずれたひとを、並木はきらいではなかった。繭にも似たところがあった、と懐《なつ》かしく思い出した。

専門学校で知りあったその日のうちに、繭は並木に、

「彼氏が皿を洗ってくれるのはいいんだけど、泡をろくにすすがない。どう思う?」

と聞いてきた。「知るかよ」と内心では思ったけれど、

「フランス人も、食器の泡を洗い流さないらしい」

と答えた。

「どうして」

「知るかよ」と言いたいのをまたしてもこらえ、

「節水の精神が浸透してるんじゃないか」

と答えた。繭は、「せっすい」と言ったきり黙りこんだ。

なんだか、たまんなくいい感じの子だ。並木は繭が気になりだした。繭がその後、「彼氏と別れた」と手放しで泣くのを見て、いよいよ恋が止められなくなった。

友だちはみんな、「なにそれ、わかんない」と言った。

「そのエピソードのどこをどうしたら、恋が生まれるわけ」

説明などできるはずがない。気づいたら心が恋という字そのものになっていた。それだけだ。

ニジコは歩きながら、ぽつぽつと質問を重ねた。仕事はなにかとか、どこに住んでいるのかとか、そういったことだ。耳に届くニジコの声は、冬の風みたいに乾いている。変な女だ、と思ったけれど、並木もぽつぽつと、律儀《りちぎ》に答えた。

表参道の交差点は、気温が急に下がったせいもあってか、いつもより人出が少ないようだった。磨《みが》きあげられたビルの窓ガラスが、薄日を白く弾《はじ》いている。アスファルトに覆《おお》われた地面のうえで、ニジコのたたずまいは静かだった。なんだか、苔《こけ》むした木のような雰囲気がある。

「じゃあ、カメラの師匠のところに転がりこんでるんですね」

「夏からずっと。寝袋で寝てるから、さすがに体が痛くなってきました」

「彼女のところに戻りたいですか？」

そう聞かれて、繭の住む木暮荘を思い浮かべる。古くて、でも居心地のいい、二度と帰ることのできない木造アパートを。

「夢のなかでなら」

さきに立って歩いていたニジコが、そのときはじめて、振り返って並木を見た。地下鉄の階段を下りる寸前のことだった。

ニジコはコートのポケットからパスケースを出した。ＩＣカードが入っていたが、定期券の仕様にはなっていない。

「これ、私の住所です」

バラを小脇に挟み、ニジコはパスケースに入っていた名刺を無造作に差しだした。突然のことに、並木は少し驚いた。ニジコは名刺を半《なか》ば強引に並木に手渡し、階段を下りていった。

「一人暮らしで部屋は余っていますから、気が向いたら、いらしてくださっていいですよ。予備の布団を干しておきます」

地下からの風に煽《あお》られた黒い髪が、楽器の弦《げん》のようだった。

名刺には、「北原虹子《きたはらにじこ》」という名前のほかに、住所と電話番号とメールアドレスが印刷されていた。肩書などはなにもない。ニジコはマンションに住んでいるらしい。最寄り駅は、たぶん小田急《おだきゆう》線の代々木上原《よよぎうえはら》だろうと見当がついた。

木暮荘がある世田谷代田《せたがやだいた》から、三駅しか離れていない。

そのへんに捨てようかと一瞬考えてから、思い直して名刺をジーンズの尻ポケットにしまう。並木は交差点を渡り、そのまま明治神宮《めいじじんぐう》方面へ歩いた。変な女だ、とまた思った。でも、気になる。

冬でも緑の多い都心の森を突っ切り、参宮橋《さんぐうばし》へ抜けた。師匠の桑田は、事務所兼自宅のマンションの一室で、酒くさい息を吐きながら眠っていた。並木は、最近使われることが少ないらしい桑田のカメラのバッテリーを確認し、二時間ほど写真の整理をした。

そのあいだ、桑田への依頼の電話もファックスもなかった。

日が暮れるのが早い。電気をつけて台所を覗《のぞ》くと、シンクに酒瓶《さかびん》が転がっていた。並木が鍋に作り置いたカレーには、手がつけられていないようだ。においがちょっと怪しくなっている。鍋の中身を始末し、桑田に声をかけた。

「桑田さん、飯どうしますか」

返事はいびきだった。並木はため息をつき、使っていた寝袋を小さく畳んだ。ザックを背負い、桑田の部屋をあとにする。

一応は師匠ということになっているが、並木は桑田に、あまり写真を学んだ覚えはない。桑田は、並木が通っていた専門学校の講師だった。学校をサボってばかりいた並木の出席日数を操作し、卒業扱いにしてくれた。並木はべつに、そんなことを頼みはしなかったのだが。

たいした写真も撮らず、気ばかりいい桑田。並木の恩人顔をする桑田。仕事がなくて酒に逃げている桑田を、放置したまま出ていくのは気がとがめる。だが、木暮荘へ交通至便な環境と、ニジコに対する好奇心に負けた。寝袋生活で体が痛いのも本当だった。桑田の枕もとのメモに、「また来ます」の言葉とともに、ニジコの部屋の電話番号を書き残しておいた。

こうして並木は、居心地のいい当面の宿を手に入れた。ストーカー的行為のおかげだ。

ニジコは、代々木上原の駅から徒歩二分の距離に住んでいた。急な上り坂の中腹ぐらいにある、品のいい低層マンションだ。

並木はエントランスでまごついた。部屋番号を打ちこんで住人を呼びだす、インターフォンパネルの仕組みがよくわからなかったからだ。やっとのことでニジコと通話できたときは、思わず万歳《ばんざい》の恰好《かっこう》をしながら「瀬戸並木です」と名乗った。

「見えてます」

とニジコは言い、エントランスのロックを解除してくれた。並木はしずしずと両手を下ろし、ガラスのドアをくぐった。

ニジコの部屋は３ＬＤＫで、一人ではもてあますだろう広さだった。家具は最低限しか置かれておらず、広大な空間がなおさら広く、ほとんど荒涼として見えた。リビングのテーブルには五本の白いバラが飾られ、さわやかな香りを控えめに放っている。部屋のなかでやわらかい部分、ぬくもりを感じさせる部分は、それだけだった。

並木があてがわれたのは、西向きの一間《ひとま》だ。床はフローリングなのではっきりしないが、たぶん十畳はあるだろう。がらんとした部屋の隅に、日の光を吸った布団が一式、畳んで積んであった。ニジコは言葉どおり、ちゃんと布団を干して待っていてくれたようだ。

最初、並木は緊張ぎみだった。

一人暮らしの部屋に並木を招き入れたのは、当然、そういうことなのだろうと思った。だから、ニジコに西向きの部屋に案内され、

「ここでいいですか？」

と尋ねられたとき、並木はうなずき、ザックを床に下ろして布団を敷きはじめた。

「どうぞ、好きに使ってください」

部屋のドアが閉められ、足音がリビングへと去っていった。

シーツを敷布団に広げたところだった並木は、事態をよく飲みこめず、動きを止めた。窓越しに見える空は暗かったが、「とはいえ、まだ夜というには早い時間だもんな」と思った。がっついている、とあきれられただろうか。自分がひどくまぬけに感じられ、赤面した並木は、室内を意味もなくうろついた。

どうにも自信がなかった。なんといっても、並木はこれまで、繭としかつきあったことがない。しかも、交際していたのはすでに数年前のことで、ブランクがある。どうしたら、さりげない誘いに気づいて、いいムードに持っていけるのか。どうしたら、相手の眼差《まなざ》しに応《こた》え、適度な強引さを醸《かも》しだせるのか。すべてが曖昧《あいまい》で、霧《きり》のなかで本でも読むみたいだ。考えすぎ、気をまわしすぎたせいか、目の奥が痛くなってきた。

「夕飯できましたけど、食べます？」

ニジコが部屋のドアをノックした。リビングのテーブルには、みそ汁やらサラダやら揚げ物やらが並び、かすかな湯気を立てていた。

いつ、どのタイミングで、俺はニジコさんとセックスしたらいいんだろう。ご飯を食べるあいだじゅう、思いをめぐらせた。ニジコの料理はどれもおいしかったが、じっくり味わう心の余裕がなかった。

一嚙《ひとか》みごとにプレッシャーが高まり、耐えきれなくなった並木は話題を探した。

「ニジコさんは、なんの仕事をしてるんですか」

「無職です」

「転職先を探してるところとか？」

「いいえ」

親が金持ちなんだろうか。いまの日本に、遊んで暮らせるぐらいの金持ちが本当にいるのか、きわめて平凡としか言いようのない家庭に育った並木には、うまく判断がつかない。

「完璧《かんぺき》な無職なのに、なんで名刺を持ってるんですか」

不躾《ぶしつけ》かとは思ったが、好奇心を抑《おさ》えきれず質問を重ねた。働かずにすむなんてうらやましい、というやっかみと、たいした働きもない自身の後学のために、というもくろみがあった。

「パソコンで作ったんです。私は運転免許を持っていません。保険証をいつも持ち歩くのは、落としたときに面倒です。名刺があれば、事故に遭《あ》ったときにもとりあえず身元が判明しますから」

「でも、一人暮らしですよね。そういうことなら、友だちとか家族とか親戚とか、緊急連絡先も書いておいたほうがいいんじゃないですか」

「名前と現住所さえわかれば、あとはなんとかなるでしょう。急死したときのために、遺書は寝室の目立つところに置いてありますし」

「……なにか持病でも？」

「おかげさまで、いまのところ健康です」

ああ、変人なんだ。並木は改めてその事実を受け入れた。同居にあたって、変人のニジコにいかに満足してもらうかが大切だ。ひとまず、無難な利点をアピールしてみることにした。

「俺も、簡単な飯なら作れます」

「そうですか。でも作らなくていいです」

「ここに住まわせてもらうんだから、それぐらいはさせてください」

「ひとの作ったご飯は食べたくないんです」

「どうしてですか」

「嘘《うそ》の味がするから」

意味がよくわからない。化学調味料を使われたくないということなのか。食い下がるのも面倒で、並木は納得したふりをした。

少しの話しあいの結果、掃除と洗濯は並木が、炊事はニジコが、受け持つことになった。ニジコは並木に控えの電子キーを預けたうえで、「家賃はいりません」と言った。

これはいよいよ、そういうことだなと並木は思った。

シャワーを浴び、覚悟と緊張とともにリビングへ赴《おもむ》く。ニジコはすでに、寝室にしているらしい部屋に引っこんでいた。部屋のドアは閉ざされ、明かりもついていないようだ。ドアを軽くノックしてみたが、寝てしまったのか返答はなかった。

会ったその日のうちにというのは、さすがにはしたないとでも考えたのかもしれない。

安心したような、がっかりしたような気分になった。

西向きの部屋に改めて布団を敷き、並木はひさしぶりに手足を自由に動かせる状態で眠った。


共同生活は、わりあいにうまくいった。

並木は、昼までに掃除と洗濯を済ませ、参宮橋の桑田の事務所へ行く。たまに、桑田に撮影の依頼が入ると、アシスタントとして現場へついていく。桑田はたいがい二日酔いで、レンズも照明も決められない状態だったし、だいいち、腰を痛めていて機材を持てなかった。

ほとんどの日は、桑田の面倒を見ながら、事務所で写真の整理にあたった。桑田の写真を撮影日順に並べてリスト化したり、自分が海外で撮りためてきた写真を現像したりする。暗室は、桑田がユニットバスを改装したものだ。そのせいで、桑田の事務所では現像中は便所を使えず、風呂は南新宿《みなみしんじゆく》の銭湯まで行くしかない状態だった。

桑田はまだ四十代半ばのはずだが、酒に体をむしばまれているのか、肉が落ち、肌がくすんで、実年齢より老けて見えた。以前は主に雑誌用に、若い女のグラビアや犬や猫を撮っていたが、不況のためか酒のためか、近ごろめっきり依頼が減ったという。

並木が海外で撮ってきた写真を一瞥《いちべつ》し、桑田は「ふん」と鼻を鳴らした。

「写真が楽しいのなんて、はじめたばかりのころだけだ」

俺はもう、撮りはじめてから十五年ぐらい経《た》つんだけどな、と並木は思った。

子どものころ、父親が持っていたカメラは並木を夢中にさせた。もちろん楽しいばかりではないが、時間を切り取る写真の魔力に、いまもって取り憑《つ》かれたままだ。

幸いなことに、写真でなんとか食べていけてもいる。海外放浪をするまえは、出版社から依頼を受けて人物や風景を撮っていた。放浪中も、つてのある通信社や週刊誌から紛争地帯の撮影を頼まれたりした。カメラと度胸があれば、世界のどこにいても仕事はできる。帰国後、撮りためた写真を顔見知りの編集者に見せた。気に入ってもらえたらしく、並木がまた海外へ行きたがっていると知って、「応援する」と撮影依頼を以前よりも多くくれるようになった。それなりに充実していると言ってもいい状況だろう。

でも、桑田の言葉に反論はしなかった。内心ではいくら、「才能も克己心《こっきしん》もないやつ」と思っていても、相手はまがりなりにも師匠だと自任しているのだから、表面上は立てるのが大人の対応だ。それに、桑田が苦しんでいるのもまた、写真の魔力に取り憑かれたがゆえであると、わかっていた。

嫉妬、哀しみ、怒り。桑田はもしかしたら、恋と同じ熱量で写真にのめりこんでいるのかもしれない。

桑田が報《むく》われる日は、たぶん来ないのに。

そう思った並木は、自分のなかに恋の勝利者にも似た不遜《ふそん》がひそむことに気づいた。実際の恋では繭にふられたくせに、写真に対する自負心と自尊心だけは立派なもんだ。どうやってもへし折れないらしい自身の鼻っぱしらを、並木は皮肉な思いで嗤《わら》う。

桑田はしかし、才能と克己心のなさを差し引き、酒量で割っても、まだまだ面白味のある男でもあった。

「そりゃあおまえ、察してやらんと」

と、桑田はビール片手に餃子《ぎょうざ》をぱくつきながら言った。並木がひとつひとつ肉を包み、事務所のフライパンで焼いた餃子だ。

「なんの下心もないのに、若い男を居候《いそうろう》させるか？」

「でも、寝室のドアはいつも閉まってるんです」

「バカなのかおまえは。開けろよ。なに童貞くさい態度取ってんだよ。童貞なのか？」

「そうじゃないですけど」

並木は子どものころから、恋心と下半身が直結しにくかった。ましてや、恋心もないのに下半身だけ起動させるのをよしとしなかった。その結果、並木の寝た相手は繭だけなのだった。

たとえば中学、高校のころ、並木には気の合う女友だちが何人かいた。チョコをくれた笹井恵美ちゃんも、そのうちの一人だ。並木は彼女たちとしゃべったり笑ったり喧嘩《けんか》したりするのが好きだった。彼女たちも、並木をきらいではなかったはずだ。もしかしたら、友情よりも濃度の高い思いを並木に抱いていた子もいたかもしれない。並木だって、笹井恵美ちゃんにチョコをもらったときはやはりうれしく、恋かと思うぐらいモヤモヤした。

だが、モヤモヤと生理的現象である勃起《ぼっき》とを、どう結びつければいいのか、よくわからなかった。セックスという行為があるとは知っていたし、ペニスを刺激すると気持ちがいいというのも知っていた。しかし、モヤモヤした心情がすなわち、ペニスを相手の体内に入れてこすりたてたい、という合図なのかどうか、いまいち計りかねる。相手も同じようにモヤモヤしているとしても、「だから瀬戸くんが私の体のなかに入ってきて、こすりたててくれればいいのに」と望んでいるとは、到底思えない。もし望んでいたとしても、それは、「モヤモヤを感じた男女は、恋という名のもとにセックスするものだ」との思いこみから生じた願望ではないか、と思えた。

動物の交尾をテレビや道端で見かけるとき、並木はそこから、人間でいう愛や恋といった気配を感じ取れなかった。ふだんは仲良くひなたぼっこをしている猫も、交尾のときは互いを憎みあっているとしか思えぬ声を発し、荒々しい動きをする。性欲を愛や恋と結びつけたがるのは人間だけであり、セックスとは本来、発情したら挑みかかるだけの身勝手な衝動のことなのではないか。

並木は人間なので、発情したからといって、だれかに挑みかかることはしなかった。おとなしく、自分の部屋でオナニーした。女友だちやアイドルを思い浮かべるのは失礼な気がしたので、なるべく具体的な顔や名前は脳裏《のうり》から消し去り、機械的に性器を手で刺激するだけにしようと心がけた。

つまり並木は、思春期（かつ童貞）特有の潔癖さを、ひとより少し過剰に持ちあわせていたのであり、その原因は、ただただ性格としか言いようがなかった。

並木には、共感と観察を同時に行う癖《くせ》があった。

幼いころ、並木は石を見ても花を見てもしばしば涙した。こんなところで転がっていて、石はさびしくないんだろうか。こんなにきれいに咲いたのに、あと何日かしたら枯れてしまうことを花は知っているんだろうか。そう思っては、勝手に石や花の気持ちになって涙が出た。ほぼ同時に、並木の目は、どの角度から見たら石が一番さびしそうに見えるか、どの色になったとき花が一番はかなさを増すか、冷静に観察してもいた。

父親からニコンのカメラを譲ってもらって以来、並木の情緒は安定のきざしを見せた。並木にとってカメラは、もうひとつの目にほかならなかった。

ファインダーを覗くときは、思うぞんぶん共感と観察を繰り広げられる。それ以外のときは、むやみやたらと共感と観察をするのはやめておこう。そう切り替えができるようになった。それは並木に幸いをもたらした。写真の才能を自身のうちに発見し、技術を磨いていく意欲を持てたのはもちろんだが、周囲の子どもに遠巻きにされずにすむようになった。石や花を見ては泣いている男子は、子ども社会では（たぶん、大人社会でも）生きにくい。

共感と観察は、他者への遠慮を生む。カメラを手にしてからも、相手の思惑をあれこれ慮《おもんぱか》りすぎる習性はそのままだった。それで並木は、恋心と発情をぬけぬけと一体化させることも、恋心と一体化した発情なんだからいいだろ、と相手の体内に勃起をぶちこむ行為も、なんとなく腰が引けてなかなか実現できなかった。

たぎるような恋心（と発情）に押し流され、ついに繭とセックスしたときは、「うわあ、なんていいものなんだろう」と感激した。いままであれこれ考えすぎて、セックスに踏みだせなかった自分を悔やんだほどだ。その後は、ごく一般的と思われる頻度《ひんど》と礼節を保って、繭と楽しくセックスした。

「そうだよ、そういうもんだ」

と桑田は言った。「そのニジコって女とも、宿代がわりに、頻度と礼節を保って楽しくセックスすりゃいいんだよ」

桑田さんだって俺を事務所に泊めてくれたけど、そんな宿代は請求しなかったじゃないですか。並木はそう反論したかったが、やめておいた。「あたりまえだろ、気色《きしょく》悪い」

と言われて終わりだとわかっていたからだ。

ニジコが女だからというだけで、宿代はセックスだとなぜ思うのか。自分と桑田のその発想が、どこから来るものなのか、それがわからないんだ。並木はそう思った。どうも、ニジコが望んでいることからは、てんで的《まと》のはずれた発想のような気がしだしていた。

並木が帰宅すると、ニジコは「ニンニクくさい」と言った。桑田のところで食べてくる、と言っておいたので、ニジコもすでに一人で夕飯をすませたようだ。リビングであたたかいお茶を飲んでいるところだった。

プレッシャーに押しつぶされそうになって夜を迎えるのは、さすがにもうこりごりしていた。プレッシャーを感じているのが、どうやら自分だけらしいというのも釈然としない。並木はテーブルを挟んでニジコの向かいに座った。

「ニジコさんは、俺とセックスしたいですか」

「全然」

一気に肩から力が抜けた。これで今晩からは、なんの心配もなくシャワーを浴びることができそうだ。もっと早くに聞けばよかったと思った。

並木の不躾な問いに、ニジコは驚いているようだった。

「セックスしたがってるふうに見えました？」

「全然。だからこそ、じゃあなんで俺を居候させてくれるのかなと、いろいろ考えました」

「言いましたよね。花屋の店員さんに、変な真似しないで、って。ストーカーを身近に置いて、監視しようと思っただけ」

並木は右手をチョキの形にし、ニジコに示した。

「二つ質問していいですか」

「どうぞ」

「ニジコさんは、繭のことを好きなんでしょうか」

「友情や恋という意味では、べつに」

ニジコはキッチンから並木のぶんの湯飲みを持ってきて、急須《きゅうす》に残っていたお茶を注《つ》いだ。

「そのわりには、すごく親身になってませんか」

「一目見て『いいな』と思うような車や家具や服が、並木さんにもあるでしょう。それと同じです。好みと言ってもいいかもしれません」

ものに対する好みと、ひとに対する好みを、同列に扱っていいものだろうか。並木は疑問に感じなくもなかったが、ではどこがちがうのか、はっきり区別することもできそうにない。

「わかりました。じゃ、二つめの質問」

「並木さんはすでに、二つ質問したと思いますが」

「そうでしたっけ？」

「それで三つめ」

並木はかまわず、「二つめの質問です」と、右手で再びチョキを作った。

「いくら好みの店員さんのためとはいえ、ストーカーを身近に置くのは危ないと思わないんですか」

「危なくないですよ。現にあなた、一緒に暮らしてても、なにもしてこなかったじゃないですか」

ニジコの理屈についていけず、並木はため息をついた。チョキから力が抜け、しょげたウサギみたいな形になった。とりあえず、性的なことは本当に求められていないようだ。

テーブルには、瑞々《みずみず》しい白いバラが五本飾られている。ニジコはまた、「フラワーショップさえき」へ行ったらしい。

「繭は元気そうでしたか？」

「とても。あなた最近、ストーキングしてないの？」

「それどころじゃなかった。ニジコさんとセックスするべきなのかどうか考えていて」

ニジコは笑った。ニジコの笑顔をはじめて見た気がする。目尻に小さな皺《しわ》が寄って、チャーミングだ。

「桑田さんのところで、餃子を作りました」

並木は一日の出来事をニジコに報告した。あてがわれた部屋にすぐに引きあげるのが、なんだかもったいない。セックスのプレッシャーから解き放たれたおかげで、かえってニジコと一緒にいたい気持ちになっていた。

「それでニンニクくさいんだ」

ニジコも、並木を鬱陶《うっとう》しがってはいないようだ。お湯を沸《わ》かし直し、新しく熱いお茶をいれてくれた。

「桑田さんはふだんは酒ばっかりなんですけど、餃子はけっこう食ってくれた。俺、わりと料理うまいと思いますよ？」

「私はなにもすることないから、料理ぐらいしないと時間をつぶせない」

「働かないんですか？」

「私の仕事は、父親の財産を食いつぶすことなんです」

ものすごい仕事があるものだ。

「お父さん、なにしてるひとですか」

「嘘ばっかりついてるひと」

詐欺師《さぎし》なのかな、と並木は思った。こうやってテーブルを挟んで静かにしゃべっていると、ニジコと自分が、二十年ぐらい連れ添った夫婦のようにも、とても仲のいい姉弟のようにも思えてきた。

もう何年も会っていない両親と妹を思い出した。彼らはたぶんいまも、「便りのないのは元気な証拠っていうからねえ」などと言いあいながら、小さな漁港と畑と役場しかない町に住んでいるだろう。待つというほどの積極性もなく、かといって並木の存在を忘れるでもなく、毎日を生きているだろう。

「フラワーショップさえき」へ繭を見に行ったり、桑田の寝ゲロの始末をしたり、洗濯物の干しかたについてニジコと喧嘩したりするうち、十二月になった。このままニジコの部屋で年を越すのは、いくらなんでもずうずうしすぎるだろう。

桑田のところにいても実入りがないので、並木は自分に来た撮影依頼を積極的に引き受けていた。海外へ行くための最低限の資金が、そろそろ貯《た》まりそうだ。

「インドへの往復の飛行機代だけあれば、なんとかなるんです。あっちにいれば、生活費はそんなにかからないから」

「インドへ行くのが、生活費節減のためだなんて。変な発想をするんですね」

ニジコは近ごろ、よく笑うようになった。ニジコがいいと言うなら、いまからでも宿代をセックスで払おうかと思ったぐらいだが、そんな気配はまったくなかった。

ニジコの日常は、無為《むい》の一言だ。起床し、ご飯を食べ、散歩に出かけたりテレビを見たりし、就寝する。毎週火曜日には白いバラを五本買う。規則正しいが、よく退屈でどうにかならないなと思うほど、なにも生みださない。交際相手はもとより、友だちすらいないのか、マンションを訪ねてくるものも、だれかに会いに行くこともないようだ。

「ニジコさんが学校に通ってたころを想像できません」

と言ったら、

「ほとんど行ってないから」

という答えが返ってきた。

「病弱だったんですか？」

「べつに、ふつう。ただ、つまんないから行かなかっただけで」

いまのニジコさんの生活よりつまんない学校って、相当のもんだ、と並木は思った。

ニジコのもとには、たまにクール便でタッパーに詰められた料理が送られてくる。炒《いた》め物《もの》だったり煮物だったり、さまざまだ。ニジコは中身を解凍し、真剣な顔つきで食べる。たいてい、一口だけだ。残りは全部捨て、パソコンからなにやらメールを送る。

試食のバイトでもしているのかと思ったが、ちがった。

「これは趣味です」

とニジコは言った。「私には特技があるので、それを活《い》かして暇つぶしをしてるんです」

「特技って、どんな？」

「料理を食べると、それを作ったひとが嘘をついていないか、浮気をしてないか、そういうことがわかる」

「どうやって」

「嘘をついてるときは、砂の味。浮気をしてたら、泥の味」

評判が広がり、夫や妻の浮気を鑑定してもらおうと、ニジコのもとには冷凍された手料理が全国から届く。

まさか、と並木はあまり本気にしなかった。でも、否定もできない。嘘の味を感じるとニジコが言うなら、そういう特技もあるのかなと思う。

並木が以前、モンゴルで世話になった遊牧民は、何キロもさきにいる知人に向かって手を振っていた。並木には、動くものもない緑の水平線としか見えない場所に向かって。草原に住むひとが双眼鏡なみの視力を持つように、マンションの一室で植物のように静かに暮らすニジコは、研《と》ぎ澄まされた味覚を持っているのかもしれない。

ニジコは砂味や泥味に遭遇するのがいやで、なるべく外食を避け、並木にも料理を作らせないのだそうだ。

「砂の味や泥の味のする料理って、そんなに多いものですか」

「多いです」

「鑑定料を取ればいいのに」

「お金ならいっぱいあるから」

ニジコが自分の特技に気づいたきっかけは、幼いころに父親が作ってくれた料理だったらしい。母親も兄も、「おいしい」と言って食べた。ニジコだけは、泥の味がすると言って泣いた。父親は、「せっかく作ってやったのになんだ」と怒った。それからすぐ、父親の浮気が発覚した。

自分で作る料理まで砂や泥の味になったら、ニジコは食べるものがなくなってしまう。嘘をつかず、浮気をせずにすむように、ニジコはひととの接触を極力避け、だれともつきあわないでいるのだと言った。

ユーカリしか食べないコアラより、ニジコのほうが生きにくそうだ。

「その特技は、口に入ったものなら、なんにでも発動するんですか」

ふと好奇心にかられ、並木は尋ねた。「たとえば体液とか」

ニジコがうろんな目をしたので、「いや、エロい話じゃなく」とあわてて言い添える。

「自分の汗や鼻水が口に入っちゃったりすること、あると思うんですけど」

「私は身をつつしんでいますから」

表情も変えず、修道女のように言いきられ、「ですよね」と引き下がるしかなかった。

いつものように食事を終え、ニジコが椅子《いす》から立った。片づけを手伝おうと、並木も立ちあがろうとした。影が落ちる。ニジコが身をかがめ、並木のこめかみを舐《な》めた。なめらかであたたかい舌が、並木の肌のうえで遠慮がちに動いた。

「しょっぱくて苦い」

とニジコは言った。

ニジコが寝室へ行ってしまってからも、並木は腰が抜けたように動けず、しばらくリビングの椅子に座ったままだった。

急に表皮を舐められてびっくりしたが、動物が相手のにおいを嗅《か》ぐようなものだったのかもしれない。並木とニジコは徐々に打ち解けていき、夕食後にリビングでともに過ごす時間が多くなった。

並木が繭を三年もほったらかしにしたと知り、「ずいぶんうぬぼれているんですね」とニジコはあきれたように言った。

週末が近づくにつれ、ニジコの態度に変化が表れた。並木とあまり目を合わせない。なにか言いたそうにするのに、結局黙ってしまう。

金曜の晩、ニジコが作ってくれためんたいこスパゲティを食べながら、並木は言った。

「砂の味がします」

ニジコは顔を上げ、並木を見た。それこそ、料理に砂利《じゃり》が混入していたような表情だった。

「すみません、嘘です」

並木は急いで謝った。「でも、なにか隠しごとをしてますよね」

「ばれましたか」

「ニジコさんみたいな特技がなくても、ばればれです」

ニジコは気まずそうに、めんたいこの塊をフォークでつぶす。

「言いそびれていたんですが、明日、花屋の店員さんが引っ越すそうです」

並木が反応を見せなかったので、ニジコはあせったようにつづけた。「火曜日にお店に行ったとき、たまたま耳にしました。花屋さんを辞《や》めるわけではないようですから、遠くには引っ越さないでしょうけれど」

「そうですか」

「行かなくていいんですか」

「こたつを運ぶ手伝いぐらいしたほうがいいですかね」

しばらくの沈黙ののち、

「余計な口出しをしました」

「俺、いま感じ悪かったです」

二人は同時に頭を下げた。並木は強《し》いて明るい声で、

「明日、木暮荘へ行きましょう」

と言った。

「木暮荘?」

「繭が住んでるアパートです。ストーキングにつきあってください」

ひさびさに降り立った世田谷代田駅には、あいかわらずのどかで静かな空気が流れて

いた。くもり空のもと、ゆるやかな坂を下る。ニジコは青いマフラーに顎《あご》をうずめ、目だけを動かして興味深そうにあたりの景色を眺めている。少し緊張しているようなのは、いつも決まった場所にしか出かけないからだろう。

並木も緊張していた。引っ越しの様子を盗み見るつもりだが、もし繭と顔を合わせてしまったらどうしようと、期待によく似た不安があった。

だが、角を曲がって木暮荘を目にしたとき、並木の胸を満たしたのは懐かしさと喜びだった。

茶色い壁。ちょっと歪《ゆが》んだ窓枠。野放図《のほうず》に生えた庭の木々は、いまは葉を落としているものが多い。冬毛に変わったからなのか、ジョンは記憶にある姿よりも少し白くなったようだ。雑草の枯れた冷たい地面を熱心に掘っている。

繭に出会ってから、木暮荘はいつも並木の心の真ん中にあった。それは灯台のように、並木を支え導くものだった。繭と過ごした時間の記憶、繭に対して抱いた感情の記憶とともに。

いま、木暮荘を見て懐かしさを感じる自分を知り、過去になったんだ、と並木は思った。

灯台は役目を終え、波間に光を投げかけることなく、ただ夜の海岸に立っている。

ニジコに袖《そで》を引かれ、並木は眼前の光景に意識を戻した。毛布で巻かれた冷蔵庫を抱え、引っ越し屋が木暮荘の外階段を下りてくる。つづいて、段ボールの箱を持った繭と伊藤晃生《いとうあきお》も現れた。

並木とニジコは互いに押しあいながら、角の塀《へい》の陰に身を隠した。顔だけを出して様子をうかがう。

繭と伊藤は、木暮荘の門口《かどぐち》に箱を置いた。引っ越し屋は二人いて、一人はいくつかの荷物を二〇三号室から運びだし、もう一人は携帯電話でだれかと話している。道が狭いため、トラックはどこかで待機しているらしい。

大家の木暮《こぐれ》が、庭に面した掃《は》きだし窓から出てきた。三人とも笑顔だ。門口へ行き、そこに立ってトラックを待つ繭と伊藤に、なにか話しかける。繭は木暮に向かってうなずき、くつろいだ眼差しで伊藤を見上げた。

繭にとっても、過去になったのだとわかった。断ち切るのではなく、穏《おだ》やかにいまと未来へつながる過去に。

ジョンが鳴く。道の向こうから引っ越し屋のトラックがやってきた。

「行きましょう」

並木はニジコをうながし、木暮荘に背を向けた。ゆるやかな坂を上って、世田谷代田の駅へ戻る。ニジコは黙っていた。

卓袱台《ちゃぶだい》の置かれた六畳間、建て付けの悪い仕切り戸の重さ、窓から見える庭の花壇、夏は蒸し暑くてたまらない台所。目を閉じれば、木暮荘の繭の部屋を思い出せる。そこで暮らす繭の声も、さまざまな表情も。

繭もたぶんそうだろう。これからどこへ行き、だれと過ごしても、木暮荘での時間をたまに思い出すことがあるだろう。その記憶のなかには、並木もいるはずだ。

それで充分だと思った。

代々木上原のマンションに戻った並木は、キッチンを占拠し、夕飯にカレーを作った。もちろんニジコは渋ったが、

「俺はいま、嘘もついてないし、浮気もしてないから大丈夫です」

と説き伏せた。

ニジコはおそるおそるといった体《てい》で、カレーをスプーンですくって食べた。

「どうですか」

「おいしい」

消え入りそうな声だった。「花屋の店員さんのこと、本当に好きなんですね」

そうじゃない、と言いたかった。ニジコさんに食べてもらいたくて作ったんです、と。

でも、並木は黙っていた。安易に心変わりする男だと思われたくなかったし、心変わりだと断定することもまだできなかった。

ニジコに好意を抱いたとしても、どうにもならない気がした。想いを打ち明けて、ニジコを感情の渦《うず》に巻きこみたくない。また「うぬぼれている」とニジコに言われそうだが、ニジコが並木の心を受け入れたあとのことが怖かった。

並木はいい。一度好きになったら、物理的に距離が離れていようと勝手に執念深く好きでいつづける傾向があるのは証明済みだ。でも、ニジコはどうだろう。並木に愛想を尽かし、心変わりすることだってないとは言えない。そのとき並木が海外にいて、連絡がつきにくかったら、どうなる？　心変わりしたと並木に打ち明けられないまま、ほかのだれかと親しくなったら。

自分で作る料理が泥味に変じたら、ニジコにとっては死活問題だ。ニジコがそんなはめに陥《おちい》る可能性を、少しでも生じさせてはならない。

そろそろ金も貯まったし、また旅に出よう。カメラだけを持って。

結びつきたいひととうまく結びあえない並木にしてみれば、留《とど》まるよりも流れる生《せい》のほうが楽だった。

西向きの部屋で、並木は荷物をすべてザックに収めた。ニジコも、並木の旅立ちのときが近づいたことを察しているようだったが、なにも言ってはこなかった。

並木は使っていた布団をベランダに干してから、挨拶《あいさつ》のために桑田の事務所へ向かった。

桑田は事務所で、血反吐《ちへど》を吐いて昏倒《こんとう》していた。並木は大慌てで桑田を抱え起こし、救急車を呼んだ。

病院へついていき、医者の説明を受けた。酒の飲みすぎで、胃に穴が空《あ》いたらしかっ

た。痛み止めの点滴を受け、病室のベッドで目を覚ました桑田の第一声は、

「やったんだろ」

だった。

「なにをですか」

「新しい女とだよ」

「やりませんよ」

「そうか？　なんかすっきりした顔してるから」

「またちょっと海外へ行こうと思うんです」

桑田は血色の悪い顔をしかめた。

「おまえの『ちょっと』は長いからなあ」

それでも「餞別《せんべつ》だ」と言って、財布に入っていた一万円札を押しつけてきた。事務所の家賃の支払いすら、毎月綱渡りだというのに。

桑田が薬で眠りに落ちた隙《すき》に、札は財布に返した。並木にくれた一万円のほかには、千円札が一枚入っているだけだった。気がいいというか、見栄《みえ》っぱりというか、とにかく悪いひとじゃないんだよなあ。桑田のプライドを傷つけたくなくて、「帰国したら飯おごってください」というメモも一緒に入れておいた。

入院手続きをし、ずっと別居している桑田の奥さんとなんとか連絡がついたときには、すっかり夜になっていた。

布団を干したままだ。ニジコが取りこんでくれたはずではあるが、急いで代々木上原のマンションへ戻る。

こちらはこちらで、なにやら騒動が起こっていた。よれよれのシャツとズボン姿の見知らぬ男が、リビングの中央で携帯電話に向けてしきりに怒鳴っている。ニジコは不機嫌そうにテーブルについている。

「あんただれだ。ひとの家でなにを騒いでる」

並木が声をかけると、通話を終えた男は怒りとあせりと疲労に目を血走らせて振り向いた。四十代半ばぐらいだろうか。頰《ほお》も鼻の頭も皮脂《ひし》でてらついていたが、脂性《あぶらしょう》というよりは、何日もまともに顔を洗っていないがゆえのようだった。

「あんたこそだれです。ここは北原さんの家でしょう」

「まあ、そうだけど」

「いいんです、並木さん」

とニジコが口を挟んだ。「野島《のじま》さん、もう帰ってください。父がここにいないのはわかったでしょう。ご飯の仕度《したく》の途中なんです」

「しかし、先生が立ち寄られるかもしれません」

「もう五年ぐらい、顔も見てないですけどね。来たらすぐ、野島さんに連絡しますから」

「先生?」

と、今度は並木が口を挟んだ。

「『週刊スターティング』で、もう二十年以上も人気ナンバーワン料理漫画を連載しておられる、キング・キタ先生ですよ！　『九鬼《くき》クッキング』の！」

野島とやらいう男は、ただでさえぼさぼさだった髪の毛を、さらに両手で掻《か》きまわした。「ああー、このままでは雑誌が白くなってしまう！　キタ先生、どこへ行っちゃったんですか！」

一拍遅れて、並木は「ええっ」と叫んだ。

「『九鬼クッキング』の、キング・キタ先生!?　知ってますよ！　俺、子どものころ近所のラーメン屋へ家族で行くたび、夢中になって読んでた！　いまもけっこう、料理の参考にしています」

「そんなひとは、のべ一億人ぐらいいる」

野島は髪の毛をむしらんばかりの勢いで言い、

「あんなの嘘っぱちの漫画ですよ。描いてる本人は、泥味の料理作ってるんだから」

とニジコは言った。

「泥味だろうがなんだろうが、かまやしません」

野島はほとんど涙目になっている。「大事なのは、先生がいま、どこにいるのかということです」

「アマゾンに幻の食材でも買いつけに行ったんじゃないですか」

ニジコはすげない態度を崩さないまま、野島を追いだした。

そうか、ニジコさんのお父さんは、キング・キタ先生なのか。

並木は感心し、納得もした。『九鬼クッキング』は、アニメにもドラマにも映画にも何度もなり、キャラクターグッズもたくさん発売されている。遊んで暮らせるほど稼《かせ》げる職業ってなんだろうと、ずっと疑問に思っていたのだが、売れっ子漫画家だったのか。漫画家本人は仕事に追われ、原稿を落としそうになっているようだが。

リビングはいつもどおりの静けさを取り戻した。

「この部屋は、父が節税対策で買ったものなんです」

巨大な魚の胃袋に飲みこまれたひとみたいに、ニジコはなんだか途方に暮れて見えた。「生前贈与だといって、まとまった金額も受け取っています。贅沢《ぜいたく》をしなければ、一生働かずに生きていけるでしょう」

「替わってほしいぐらい、うらやましい話です」

「そうですか。私は、毎日を無為に過ごす自分がうしろめたく、恥ずかしくてならないです」

「気晴らしに、ちょっと働いてみるのもいいかもしれませんよ」

貴族みたいに退屈そうなニジコが気の毒になり、並木は提案してみた。

「大枚《たいまい》をはたいてやる気を買わないかぎり、働く気にはならないと思います。傲慢《ごうまん》だと感じられるでしょうけれど、自分で稼いだわけじゃないのにお金があるって、そういうことです」

傲慢というより、不幸だと感じた。ニジコにとっての金は、吸血鬼みたいなものかもしれない。血のかわりに、やる気と好奇心と信頼を吸いつくす。愛情と期待がひからびるまで。

並木が知るかぎり、ニジコは家族にも友だちにも会っていない。ニジコも、家族や友だちに連絡を取ろうともしていない様子だった。いつも一人で、花を買い花を飾り、料理を作って食べ、遺言が置いてあるらしい寝室で静かに眠る。父親からもらった金を寿命のように目減《めべ》りさせながら、だれにも気づかれず生きて死ぬのが願いだとでもいうように。

「あ、布団」

並木はベランダに出る。夜空に白く浮かびあがる布団は、すっかり冷えて湿っぽくなっていた。

取りこんだ布団を並木が西向きの部屋で畳んでいるあいだ、ニジコは台所で料理のつづきにかかった。大根のみそ汁、豚肉のショウガ焼き、芋の煮っころがしといった、並木の好物ばかりがテーブルに並ぶ。

「並木さん、出ていくつもりですね」

「ばれましたか」

「ばればれです」

ニジコは得意そうにもさびしそうにも見える顔で笑った。どうにも辛抱《しんぼう》できなくなって、並木は言った。

「ニジコさんも、一緒に行きませんか」

「行きません」

「砂が入ってざらざらのご飯とか、泥水で沸かしたコーヒーとか、海外ではけっこうよくありますよ。嘘や浮気が気にならなくなるかもしれない」

「そういう問題ではありません。私は、なるべく変化のない毎日を送るよう心がけると決めています」

修行僧のように禁欲的に言いきるので、「ですよね」と引き下がるしかなかった。

みそ汁をすする。程良く出汁《だし》がきいていて、おなかの底があたたまった。

「けっこう長引いた同居でしたけど、やっとお互い、清々《せいせい》しますね」

と、ニジコは言った。箸《はし》は忙しく、おかずと口とを往復している。

ニジコの顔を正面から眺め、並木は尋ねた。

「本当に?」

「なにが?」

「本当に、清々するだけですか」

「もちろんです。ほかになにがあるっていうんですか」

「この料理、どんな味がしますか?」

「どんなって、我ながらおいしいです」

ニジコの箸の往復に加速がついた。

並木はにやけそうになるのをこらえながら、なおもニジコを見つめた。ニジコは目をそらし、咀嚼《そしゃく》をつづけている。

砂の味がすればいい。

それでも、ニジコさんは大丈夫だ。ユーカリのない土地にほっぽりだされたコアラとはちがうから。いまの俺が作る料理はたぶん、ふつうにおいしい味がする。それを食べればいいんだから、飢《う》えて死ぬようなことはないだろう。

「飛行機の時間、何時ですか」

「明日の朝イチの便を予約してます」

でも、キャンセルしようかな。並木は心のなかでつぶやいた。せめて、桑田の容態が安定するまでは。ニジコが、砂の味がするときは「砂の味がする」と、正直に並木に訴えられるようになるまでは。海外へは行かず、腰を据《す》えて働き、生活することを考えてみてもいいかもしれない。

並木は、夕闇に沈む木暮荘を思い浮かべた。窓にやわらかな明かりの灯《とも》る、古い木造アパートを。

何度も、あそこに帰りたいと願った。ひとが死ぬのがあたりまえの地で、並木を知るものがだれもいない地で、何度も何度も木暮荘と繭を思った。

今度こそ、まちがえずにいよう。

ニジコの住むマンションの窓には、並木にだけ見える明かりが灯りだした。それが消えないように、帰る場所を見失わないように、今度こそ細心の注意を払って、ニジコの心に言葉を届けよう。

あなたが好きです。あなたとつながりたい。

あらゆる通信手段を使って、地球の裏側からでも合図を送る。ニジコが二度と、砂の味、泥の味のする料理を作ったり食べたりせずにすむように。

入居者募集中！

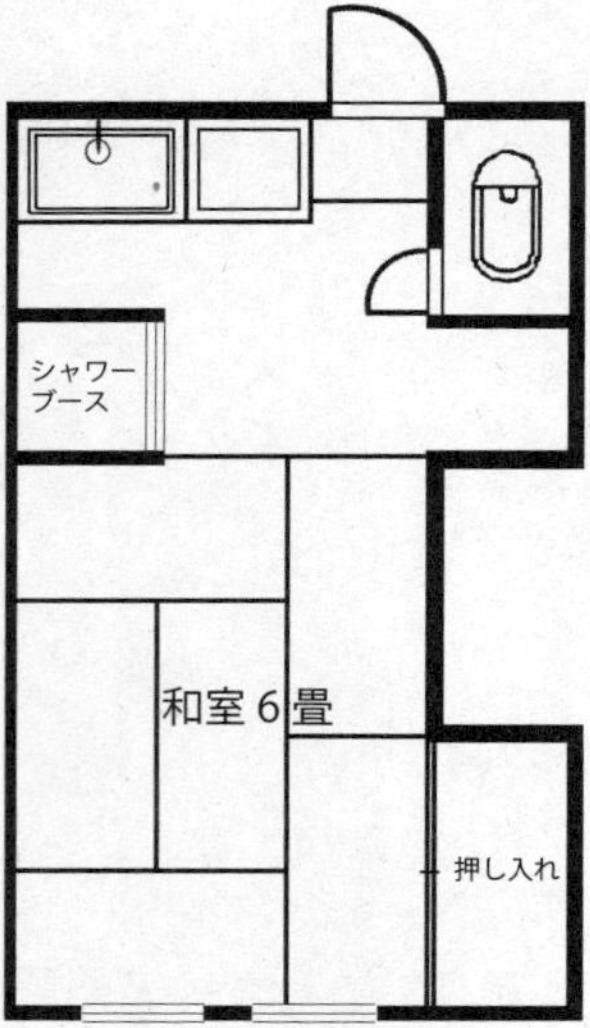

▼小田急線世田谷代田駅徒歩五分。
日当たり良好。

○広い庭があり、季節の花々をお楽しみいただけます（住人が使用できる物干し台も設置されています）。
○大家さんも木暮荘の一室にお住まいですから、いざというときにも安心！
＊正確な築年数はわかりません。……レトロです。
＊浴槽がなく、シャワーブースのみとなります。また、壁が少々薄いです。ご注意ください。
＊毛色の不明な犬が庭にいますが、おとなしいのでご心配には及びません。ただ、犬が掘った穴があちこちに空いていますので、庭を歩くときはご注意ください。

詳しくは、「木暮荘に寄せられた声」をご参照ください。

木暮荘に寄せられた声

（「読売新聞」二〇一一年二月六日書評）

小泉今日子 さん

遠い記憶が蘇《よみがえ》ってきた。父親の経営する会社が倒産し、町中にひっそりと佇《たたず》むおんぼろアパートに少しの間身を潜《ひそ》めたことがある。私が中学2年生の時だった。小さい会社だったけど一応社長令嬢だったし、小さい家だったけど一応持ち家育ちの私にとって、人生がぐるんと裏返るような感覚がする体験だった。大人達には深刻な事態だったと思うが、子供だった私の胸は不謹慎にもワクワクしていた。なぜだか、ここから何かが始まるんだという予感が小さな胸を膨《ふく》らませていた。

世田谷代田駅から徒歩5分、おんぼろな外観の木暮荘には4人の住人がいる。1階に住む大家の木暮さんは70歳過ぎの男性だけれど、死ぬ前にもう一度セックスがしたいと願いながら愛犬ジョンと暮らしている。その隣のいかにも今時の女子大生、光子の部屋には複数の男友達が出入りする。光子の生活を2階からこっそりと覗いているのは感じの悪いサラリーマンの神崎。今の彼と前の彼と3人で共同生活する羽目に陥《おちい》っている花屋店員の繭も2階の住人だ。この4人を中心に物語はくっついたり離れたりしながら進んでゆく。繭の働く花屋のオーナー佐伯夫婦。白い薔薇《ばら》を買いにくる謎の客ニジコ。木暮荘の前を通る度、庭を駆け回るジョンにシャンプーを施《ほどこ》したいと思っているトリマーの美禰。美禰と心を通わすヤクザの前田。一人一人抱き締めてあげたくなるほど愛おしい登場人物達が、恋愛や性や癖の問題を抱えながら、真摯《しんし》に誠実に他人との関わりを求めている。

あぁ、私はこの物語がとっても好きだ。ずっとずっと木暮荘を見守っていたかった。読み終わった時、これから何を楽しみに生きて行ったらいいの？　と、喪失感すら抱いてしまった。こんな気持ちを抱くのは、私もおんぼろアパート経験者だからだろうか。それとも、何かが始まったり終わったりしながら続いてゆく人生を、45年分それなりに経験したからなのだろうか。

（女優）

角田光代さん

（「サンデー毎日」二〇一一年一月二十三日号書評）

小田急線世田谷代田駅から徒歩五分。住宅街に建つ古びた二階建て木造アパート、木暮荘と、その周辺の人々を描いた三浦しをんさんの小説『木暮荘物語』。学生時代からずっとそこに住んでいる二十代の花屋店員。階下をのぞくのが趣味の、若い男。のぞかれていることを承知で暮らしている女子大学生。みんな、妙である。「ふつうなんてない」というような、一般的な意味合いでなくて、はっきりとへんである。何かが過剰か、欠落している。そういう人たちを、あえて著者は書いている。

この短編連作小説にはどれも性というものが通底している。大家の老人はセックスがしたいと、燃えさかるように、たぎるように思う。若い男は階下の女子大生の性交をじっと見つめている。彼らの欠落しすぎていたり過剰すぎていたりする性と生を読むうちに、ふと、関係という固定概念から解き放たれるときがある。このアパートの住人とその周辺の人たちは、固定概念をゆっくりと壊しにかかってくるのだ。性交を介《かい》さない恋愛は恋愛ではないのか。好きという気持ちは恋愛に分類しなければならないのか。母親とは、子を産み育てる人のことだけを指すのか。

小説は大仰《おおぎょう》な言葉をいっさい使わずに、ふと大きな疑問を投げかけてくる。次の世代を作る、いのちを入れ替えていく、連綿と続いてきたことは、生殖することでしか成り立たないのか。もっとささやかなこと、ちいさなこと、すれ違うようなことが、私たちを生かし、また次のいのちへと続いていくのではないか。はっきりとへんな人たちを描くことで、著者はその、すれ違うような、見落とされてしまうような何かを、大きく強く肯定している。

（作家）

金原瑞人さん

（「日経ヘルス　プルミエ」二〇一一年二月号書評）

現在、小説は「文学」と「読み物」に区分されている。簡単にいうと、芥川賞は文学で直木賞は読み物。橋本治によれば「『文学』とは『人はいかに生くべきか』をまじめに考えるものなんですよ。（中略）でも、『人はいかに生くべきか』を、文芸誌の外の小説誌でやっちゃいけない理由はない」。

そんなスタンスで書き続けている作家のひとりが三浦しをん。彼女の小説は、文学と呼ぶにはあまりに面白くて、読み物と呼ぶにはあまりに深く迫ってくる。

この作品は小田急線沿線の古いアパートの住人と、それにかかわる人々をめぐる連作短編集だ。

半年前から彼氏と付き合っていたところに、3年前に姿をくらました元彼が戻ってきて居候《いそうろう》を決めこまれ、悩む女の子。70を過ぎて「燃えるようにセックスしたい」と思い、「その性欲を風俗で発散させていると受け取られるのは屈辱だ」と考え悩む大家。駅のホームの柱に生じた水色の男根のようなものをきっかけに、プードルを連れたヤクザと知り合いになり、「ひとを殺したことがありますか?」と尋ねる女性トリマー。「夫のいれるコーヒーは泥の味がする」と感じるフラワーショップの女店長。「覗き見は気持ちがいい。目だけの生き物になるようだからだ」とうそぶいて、「ああん、ああん」と恥知らずな甘ったるい声をあげる女の子を2階からのぞく、税理士資格取得に向けて独学中の会社員。中学3年のときに不妊症と診断され、「人類なんか死に絶えればいい」と思って「いろんな男とやりまくった」あげく、友達から生まれたばかりの赤ん坊を預けられた女の子。好きで好きでたまらない女の子を置いて、海外に写真を撮りにいって、3年後に戻ってきた男。

たかが286ページの本で人生が語れるかと思いつつも、もしかしたら……と、つい思わされてしまうほど、凝縮された人生、人生、人生を感じさせてくれる一冊。

(翻訳家・法政大学教授)

（この作品『木暮荘物語』は平成二十二年十月、小社
から四六判で刊行されたものです）

木暮荘物語

一〇〇字書評

切・り・取・り・線

購買動機（新聞、雑誌名を記入するか、あるいは○をつけてください）	
□（　　　　　　　　　　）の広告を見て	
□（　　　　　　　　　　）の書評を見て	
□ 知人のすすめで	□ タイトルに惹かれて
□ カバーが良かったから	□ 内容が面白そうだから
□ 好きな作家だから	□ 好きな分野の本だから

・最近、最も感銘を受けた作品名をお書き下さい

・あなたのお好きな作家名をお書き下さい

・その他、ご要望がありましたらお書き下さい

住所	〒				
氏名		職業		年齢	
Eメール	※携帯には配信できません	新刊情報等のメール配信を 希望する・しない			

この本の感想を、編集部までお寄せいただけたらありがたく存じます。今後の企画の参考にさせていただきます。Eメールでも結構です。

いただいた「一〇〇字書評」は、新聞・雑誌等に紹介させていただくことがあります。その場合はお礼として特製図書カードを差し上げます。

前ページの原稿用紙に書評をお書きの上、切り取り、左記までお送り下さい。宛先の住所は不要です。

なお、ご記入いただいたお名前、ご住所等は、書評紹介の事前了解、謝礼のお届けのためだけに利用し、そのほかの目的のために利用することはありません。

〒一〇一－八七〇一
祥伝社文庫編集長　坂口芳和
電話　〇三（三二六五）二〇八〇

祥伝社ホームページの「ブックレビュー」からも、書き込めます。
http://www.shodensha.co.jp/bookreview/

祥伝社文庫

木暮荘物語《こぐれそうものがたり》

平成26年10月20日　初版第1刷発行
平成26年11月20日　　　第5刷発行

著　者　三浦《みうら》しをん
発行者　竹内和芳
発行所　祥伝社《しょうでんしゃ》
東京都千代田区神田神保町3-3
〒101-8701
電話　03（3265）2081（販売部）
電話　03（3265）2080（編集部）
電話　03（3265）3622（業務部）
http://www.shodensha.co.jp/

印刷所　堀内印刷
製本所　ナショナル製本
カバーフォーマットデザイン　芥　陽子

Printed in Japan ©2014, Shion Miura　ISBN978-4-396-34069-8 C0193

祥伝社文庫の好評既刊

朝倉かすみ　玩具《おもちゃ》の言い分

こんな女になるはずじゃなかった⁉　ややこしくて臆病なアラフォーたちを赤裸々に描いた傑作短編集。

飛鳥井千砂　君は素知らぬ顔で

気分屋の彼に言い返せない由紀江《ゆきえ》。徐々に彼の態度はエスカレートし……。心のささくれを描く傑作六編。

安達千夏　モルヒネ

在宅医療医師・真紀《まき》の前に七年ぶりに現れた元恋人のピアニスト・克秀《かつひで》は余命三ヵ月だった。感動の恋愛長編。

安達千夏　ちりかんすずらん

「血は繋がっていなくても、この家で女三人で暮らしていこう」――祖母、母、私の新しい家族のかたちを描く。

五十嵐貴久　For You

叔母が遺した日記帳から浮かび上がる三〇年前の真実――叔母が生涯を懸《か》けた恋とは？

市川拓司　ぼくらは夜にしか会わなかった

初めての、生涯一度の恋ならば、みっともなくたっていい。〝忘れられない人がいる〟あなたに贈る純愛小説集。

祥伝社文庫の好評既刊

井上荒野　もう二度と食べたくないあまいもの

男女の間にふと訪れる、さまざまな「終わり」――人を愛することの切なさとその愛情の儚《はかな》さを描く傑作十編。

加藤千恵　映画じゃない日々

一編の映画を通して、戸惑い、嫉妬、希望……不器用に揺れ動く、それぞれの感情を綴った八つの切ない物語。

小手鞠るい　ロング・ウェイ

人生は涙と笑い、光と陰に彩られた長い道のり。時と共に移ろいゆく愛の形を描いた切ない恋愛小説。

小路幸也　さくらの丘で

今年もあの桜は、美しく咲いていますか――遺言によって孫娘に引き継がれた西洋館。亡き祖母が託した思いとは？

白石一文　ほかならぬ人へ

愛するべき真の相手は、どこにいるのだろう？　愛のかたちとその本質を描く第一四二回直木賞受賞作。

平　安寿子　こっちへお入り

三十三歳、ちょっと荒んだ独身OLの江利《えり》は素人落語にハマってしまった。遅れてやってきた青春の落語成長物語。

祥伝社文庫の好評既刊

中田永一　百瀬、こっちを向いて。

「こんなに苦しい気持ちは、知らなければよかった……！」恋愛の持つ切なさすべてが込められた、みずみずしい恋愛小説集。

中田永一　吉祥寺の朝日奈くん

彼女の名前は、上から読んでも下から読んでも、山田真野……。愛の永続性を祈る心情の瑞々しさが胸を打つ感動作。

原　宏一　佳代のキッチン

もつれた謎と、人々の心を解くヒントは料理の中に？「移動調理屋」で両親を捜す佳代の美味しいロードノベル。

本多孝好　FINE DAYS

死の床にある父から、三十五年前に別れた元恋人を捜すよう頼まれた僕は……。著者初の恋愛小説。

三崎亜記　刻まれない明日

十年前、理由もなく、たくさんの人々が消え去った街。残された人々の悲しみと新たな希望を描く感動長編。

椰月美智子　純愛モラトリアム

はずかしくて、切ない……でも楽しい。イタい恋は大人への第一歩。不器用な恋愛初心者たちを描く心温まる物語。

祥伝社文庫の好評既刊

山本幸久
失恋延長戦
片思い、全開！　不器用な女の子の切ない日々をかろやかに描く、とっても素敵な青春ラブストーリー！

江國香織ほか
LOVERS
江國香織・川上弘美・谷村志穂・安達千夏・島村洋子・下川香苗・倉本由布・横森理香・唯川恵　恋愛アンソロジー

江國香織ほか
Friends
江國香織・谷村志穂・島村洋子・下川香苗・前川麻子・安達千夏・倉本由布・横森理香・唯川恵　恋愛アンソロジー

本多孝好ほか
I LOVE YOU
映像化もされた伊坂幸太郎・石田衣良・市川拓司・中田永一・中村航・本多孝好が贈る恋愛アンソロジー

石田衣良、本多孝好ほか
LOVE or LIKE
この「好き」はどっち？　石田衣良・中田永一・中村航・本多孝好・真伏修三・山本幸久が贈る恋愛アンソロジー

西　加奈子ほか
運命の人はどこですか？
彼は私の王子様？　飛鳥井千砂・彩瀬まる・瀬尾まいこ・西加奈子・南綾子・柚木麻子が贈る恋愛アンソロジー